D0477137

Nous remercions le ministère du Patrimoine canadien,
la SODEC et le Conseil des Arts du Canada
de l'aide accordée à notre programme de publication

Patrimoine canadien / Canadian Heritage

Conseil des Arts du Canada / Canada Council for the Arts

ainsi que le gouvernement du Québec
– Programme de crédit d'impôt
pour l'édition de livres
– Gestion SODEC.

Nous reconnaissons l'aide financière
du gouvernement du Canada
par l'entremise du Fonds du livre du Canada
pour nos activités d'édition.

Illustration de la couverture :
Josée Bisaillon

Montage de la couverture :
Grafikar

Édition électronique :
Infographie DN

Membre de l'Association nationale des éditeurs de livres

ASSOCIATION NATIONALE DES ÉDITEURS DE LIVRES

Dépôt légal : 3e trimestre 2011
Bibliothèque nationale du Canada
Bibliothèque nationale du Québec

1234567890 IM 987654321

ISBN 978-2-89633-096-6
11318

Les exploits d'un héros réticent (mais extrêmement séduisant)

Catalogage avant publication de Bibliothèque et Archives nationales du Québec et Bibliothèque et Archives Canada

Fergus, Maureen

[Exploits of a Reluctant (But Extremely Goodlooking) Hero. Français]

Les exploits d'un héros réticent (mais extrêmement séduisant)

(Collection Conquêtes ; 133)
Traduction de : Exploits of a reluctant (but extremely goodlooking) hero.

Pour les jeunes de 12 à 17 ans.

ISBN 978-2-89633-096-6

I. Clermont, Marie-Andrée. II. Titre III. Titre : Exploits of a reluctant (but extremely goodlooking) hero.Français. IV. Collection Conquêtes ; 133.

PS8611.E735E9614 2011 jC813'.6 C2011-940856-2
PS9611.E735E9614 2011

Maureen Fergus

Les exploits d'un héros réticent (mais extrêmement séduisant)

roman

ÉDITIONS
PIERRE TISSEYRE
www.tisseyre.ca

155, rue Maurice
Rosemère (Québec) J7A 2S8
Téléphone : 514-335-0777 – Télécopieur : 514-335-6723
Courriel : info@edtisseyre.ca

Cassette n° 1

J'ai beau lui expliquer que c'est son devoir, à titre d'homme et de père, de m'enseigner les subtilités de la sexualité, il se contente de répondre des trucs comme : « Je ne suis pas certain » ou « Lâche le soutien-gorge de ta mère ».

Aujourd'hui à l'école, j'ai confié à Roger, mon meilleur ami, que notre prof de septième année devait souffrir d'une sorte de désordre sensoriel bizarre, puisque, même si je manifeste systématiquement un manque d'intérêt total pour son style d'enseignement, il persiste à essayer de m'aguicher avec ses singeries idiotes.

— En plus, ai-je ajouté, quand il se coiffe de son fameux chapeau de cow-boy vert, il ressemble comme deux gouttes d'eau à un Monsieur Patate planté sur un bâton !

Malheureusement, le Monsieur Patate en question se trouvait juste derrière moi, ce que je n'ai malencontreusement remarqué qu'après avoir régalé Roger de mon imitation d'un gros tubercule difforme qui essayait de m'enseigner la géométrie du haut de son perchoir. J'ai dit à mon professeur qu'il se sentirait moins souvent froissé s'il cessait d'écouter mes conversations privées. Il m'a soulevé sur mes pieds et poussé jusqu'au secrétariat de l'école. La secrétaire m'a envoyé chez le directeur, qui m'a refilé à la conseillère d'orientation. Après avoir avalé deux aspirines, celle-ci m'a suggéré de tenir un journal pour y exprimer les opinions que je ne peux absolument pas garder pour moi.

— Un journal, c'est bon pour les filles, ai-je répliqué. Et avez-vous pensé à mes poignets génétiquement faibles ? Je ne pourrai jamais tenir une plume assez longtemps pour mettre sur papier mes nombreuses opinions. La triste vérité, c'est que le prof fait preuve de discrimination envers moi à cause de mon infirmité, ai-je gémi en m'affalant sur la table. Sinon, pourquoi serait-il aussi intolérant à mon endroit quand mes poignets me lâchent en classe et que je succombe à la tentation de semer le trouble ?

Malheureusement, la conseillère d'orientation a refusé de formuler une plainte en mon nom. Elle a plutôt appelé ma mère, qui m'attendait avec une brique et un fanal quand je suis rentré de l'école.

— Tiens ! a-t-elle dit en me lançant un magnétophone. Exprime donc le fond de ta pensée à cette machine-là plutôt qu'à la cohorte d'adultes qui font figure d'autorité autour de toi.

Je me suis aussitôt méfié : voilà qui ressemblait drôlement à tenir un journal.

— Beaucoup d'hommes érudits tiennent un journal, a-t-elle ajouté avant que je puisse protester. Considère ce magnétophone comme un journal pour les faibles du poignet.

Ça m'a flatté qu'elle me tienne pour un homme érudit et je lui ai promis de réfléchir sérieusement à sa suggestion dès que j'aurais regardé mes émissions télévisées. Pour toute réponse, elle m'a traîné de force jusqu'à ma chambre en m'ordonnant d'y rester tant et aussi longtemps que je n'aurais pas enregistré des pensées érudites sur la fichue machine.

Je me demande si c'est comme ça qu'Einstein a commencé.

★

Ce soir avant le souper, j'ai informé ma mère que, malgré le fait que je trouve grossière et agressive son approche initiale sur la question du magnétophone, j'avais décidé, de mon propre gré, de donner suite à sa suggestion. Je lui ai fait valoir qu'à titre d'unique héritier de la grosse fortune amassée par feu mon grand-père dans son entreprise de plomberie, je devais au monde d'écrire un jour mes mémoires.

— Ces enregistrements projetteront un éclairage sur la triste existence d'un garçon qui, plutôt que de grandir dans le luxe comme il aurait dû, a vécu dans un duplex de location – et ce, parce que sa mère a préféré une nullité sans-le-sou aux millions de sa famille.

J'ai souligné que son refus de laisser tomber mon père, même après que ma grand-mère leur eut coupé les vivres, ferait un bon sujet de téléfilm.

— Le fait d'avoir grandi en vous regardant tirer le diable par la queue pour assurer notre misérable existence m'a donné une connexion avec l'homme du peuple à laquelle très peu d'êtres supérieurs peuvent prétendre, lui ai-je dit. Dans un sens, ce serait presque égoïste de ma part de ne pas consigner sur cassette mon point de vue hautement original.

À ma grande stupéfaction, ma mère ne m'a pas adressé la moindre parole d'encouragement, même si le magnétophone était son idée, au départ. Flanquant un autre bifteck Salisbury dans la friteuse, elle a répliqué que j'avais autant de connexion avec l'homme du peuple qu'avec le bonhomme dans la lune, et que, si je trouvais notre existence misérable, je connaissais manifestement moins que rien à la vraie pauvreté.

J'ai attendu en silence quelques instants, espérant qu'elle s'excuserait de ce débordement verbal. Mais devant son mutisme, je lui ai rappelé froidement que je préférais mon bifteck Salisbury grillé au barbecue et j'ai quitté la pièce.

★

Aujourd'hui après l'école, alors qu'on était censés préparer notre examen final de maths, j'ai montré mon magnétophone à Roger et je l'ai laissé écouter des bribes de mes cogitations.

Il a attendu que j'aille chercher d'autres gâteaux au chocolat à la cuisine pour enregistrer un gros rot par-dessus un passage particulièrement inspiré, ce qui m'a énormément blessé.

— Tu ferais mieux d'agir comme du monde, mon vieux, si tu souhaites que je te dépeigne sous un jour favorable dans mes mémoires ! lui ai-je dit.

En guise de réponse, il a roté de nouveau et m'a demandé si je voulais le voir engouffrer trois gâteaux d'un seul coup.

Je pense que je ne partagerai plus mes réflexions avec Roger. J'ai l'impression qu'il n'en saisit pas complètement la portée.

★

Ma riche grand-mère a téléphoné de la Floride, ce soir. Sans me laisser élaborer sur mes mémoires, elle m'a demandé de lui passer ma mère. Je n'en revenais pas ! D'habitude, elle traite maman comme une paria, presque au même titre que ma tante Maude qui, selon elle, est devenue lesbienne dans le seul but de la provoquer. J'ai déjà demandé à tante Maude si c'était vrai.

— Les gens ne choisissent pas d'être homosexuels, a-t-elle répondu, pas plus qu'ils choisissent d'avoir les yeux bruns. Je suis née lesbienne et que ça fasse râler ta grand-mère est juste un bonus.

Chose encore plus mystérieuse que le fait que ma grand-mère veuille jaser avec ma mère, ma mère avait envie de lui parler, elle aussi. Elles ont conversé pendant près d'une heure dans l'intimité du vivoir. J'ai eu beau tendre l'oreille autant que j'ai pu, la voix de maman peut être étonnamment douce quand elle le veut, si bien que je n'ai pu saisir un traître mot.

★

Mes parents ont souvent des discussions privées ces jours-ci. Je suis certain que ça concerne la Maison des toilettes – la chaîne de magasins spécialisés en plomberie qu'a fondée mon grand-père –, parce qu'ils en parlaient encore ce matin en préparant le déjeuner. Ça m'intriguait, alors j'ai traversé le couloir sur la pointe des pieds, puis je suis entré en trombe dans la cuisine et j'ai exigé des explications. Mon père a tellement été pris par surprise qu'il a renversé son jus d'orange, mais ma mère a simplement paru préoccupée et a changé de sujet.

★

Cet après-midi, Roger et moi étions en train d'épier mes parents qui discutaient une fois de plus en privé, quand tout à coup ils se sont mis à se bécoter. J'étais tellement horrifié que ça m'a pris une minute avant de remarquer que Roger appréciait le spectacle.

— Mais quelle sorte d'ami es-tu donc ? lui ai-je chuchoté.

Il m'a dit de me taire et d'aller chercher mon appareil photo.

★

Ce soir, avant d'aller au lit, j'ai demandé à ma mère, de but en blanc, de quoi elle et mon père passent leur temps à discuter depuis quelques jours.

— Pas de tes affaires, m'a-t-elle dit.

Quelle grossièreté !

★

J'ai téléphoné à ma grand-mère en cachette et je lui ai demandé si elle, elle savait ce que mes parents me cachaient.

— Mais très certainement ! a-t-elle répondu.

Et elle a entrepris de tout me raconter : apparemment, la structure organisationnelle du magasin principal de la Maison des toilettes, à Winnipeg, est en train de s'écrouler, à son grand désespoir. La piètre performance de ce seul commerce entraîne toute la chaîne dans la dégringolade et, comme ma grand-mère n'a pas la moindre envie de retourner là-bas pour s'en occuper, son seul espoir de garder l'héritage de mon grand-père dans la famille est de convaincre un membre de ladite famille de le faire à sa place.

Ma tante Maude a déjà refusé de renoncer à sa florissante pratique chirurgicale en échange du privilège de prendre les rênes de la Maison des toilettes, et ma grand-mère ajoute que Ruth, la compagne lesbienne de tante Maude, allait devoir lui passer sur le corps avant de pouvoir diriger le commerce. De sorte qu'il ne reste plus que mes parents et moi.

Cette révélation m'a jeté par terre. Il est vrai que ma fortune personnelle est mise en péril, mais, après des années de privations, voilà que nous sommes enfin appelés à reprendre notre place légitime à la barre de l'empire familial. Hourra !

Ma mère est arrivée en courant lorsqu'elle a entendu mes cris enthousiastes. Quand elle a compris ce que j'avais appris – et par qui –, elle a semblé très contrariée. Après m'avoir regardé bondir de joie jusqu'à l'atterrissage raté qui m'a tordu une cheville, elle m'a recommandé de ne pas me faire trop d'illusions.

— Ton père et moi ne voulions pas t'en parler avant d'avoir pris une décision, a-t-elle expliqué. Beaucoup de choses entrent en ligne de compte : mon emploi, son emploi, la perspective de vivre sous la tyrannie de ta grand-mère.

Tout en massant ma cheville blessée, je lui ai dit qu'ils devraient penser à quelqu'un d'autre qu'à eux-mêmes, pour faire changement. À moi, par exemple.

— Nous pensons à toi, mon chou, a-t-elle assuré. Il n'y a pas que l'argent et le pouvoir, tu sais. Ton père et moi t'avons donné le plus beau cadeau de tous : un foyer aimant où ton esprit s'épanouit et fleurit en toute liberté.

Elle a ajouté autre chose, mais j'avais du mal à l'entendre par-dessus les haut-le-cœur que je simulais.

Mon esprit s'épanouit et fleurit en toute liberté. Ouache.

★

J'ai appris la grande nouvelle à Roger. Il en était abasourdi.

— Tu vas être obligé de déménager, a-t-il dit, et d'aller étudier dans une école où tu ne connais personne. Et si les élèves portent des vêtements étranges, là-bas, hein, ou qu'ils écoutent de la musique bizarre ?

J'ai répondu que, comme je porte presque uniquement des chemises en velours, je n'ai aucune crainte de ne pas être à la hauteur, côté mode, et que, comme je n'écoute que les entrevues et les lignes ouvertes à la radio, la musique ne me préoccupe guère non plus. Quant à ne connaître personne, j'ai ajouté que je serais seulement soulagé d'être débarrassé de Carlo Dinino. Pas plus tard que cet après-midi, ce gars-là m'a poussé dans les toilettes des filles. Pourquoi ? Eh bien, parce qu'il avait gribouillé des trucs malveillants concernant ma virilité sur le mur de la salle des casiers et que je l'avais dénoncé.

Après ça, Roger a compris le beau côté de mon déménagement, mais il est resté maussade jusqu'à ce que j'offre d'aller lui chercher d'autres gâteaux au chocolat.

★

Ce matin au petit déjeuner, j'ai avisé ma mère que j'entendais être davantage qu'un figurant dans la Maison des toilettes.

— À titre de futur propriétaire de la compagnie, je veux que le moindre rouage de ma grande organisation sache que je suis un homme d'action ! ai-je fait valoir.

Quand elle a eu fini de rire, ma mère m'a avoué que je n'étais même pas sur les rangs pour un poste de gestion.

— Si nous décidons d'aller de l'avant avec tout ça, a-t-elle dit, la personne qui mènera la barque sera soit ton père, soit moi.

Lorsque je lui ai fait remarquer qu'en tant qu'épouse elle avait le devoir d'épauler son homme plutôt que de l'aplatir pour sa propre gloire, elle s'est mise à chanter *Ces bottes sont faites pour marcher* et elle a quitté la pièce en claquant du talon.

★

J'ai parlé à Roger des manigances de ma mère pour m'écarter de la direction de la Maison des toilettes. Il m'a rappelé que j'étais sur le point de couler mes maths alors que ma mère avait un diplôme universitaire, sinon davantage.

— Qu'est-ce que tu veux insinuer? lui ai-je demandé.

— Je veux dire qu'elle en connaît probablement plus que toi sur la façon de diriger un commerce, a-t-il précisé en haussant les épaules.

J'ai rétorqué que je n'avais jamais été aussi insulté de toute ma vie.

— Ah non? a-t-il répliqué. Pas même quand Carlo Dinino a dit que tu avalais des pets de buffles?

— Non, même pas.

J'imagine que ça lui a clairement démontré à quel point j'étais insulté.

★

Ça fait des jours que je harcèle mes parents pour savoir si, oui ou non, nous allons prendre la direction de la Maison des toilettes. Ma mère semble plutôt convaincue que son travail comme infirmière en santé publique est trop important pour y renoncer, mais mon père est en train d'apprivoiser l'idée. Il suit des cours du soir en commerce et il a l'impression qu'après onze ans comme gérant des fruits et légumes à l'emploi de la Grange aux aliments, il a épuisé toutes ses possibilités d'avancement et de croissance personnelle à l'intérieur de cette compagnie-là.

— Voilà peut-être justement le défi que j'attendais, m'a-t-il confié, hier soir au souper. Ce qui est plus important encore, le sauvetage de la Maison des toilettes pourrait être un premier pas dans l'amélioration de mes relations avec ta grand-mère.

Après m'avoir demandé de retirer mes coudes de ma purée de pommes de terre, ma mère a expliqué que leur décision dépendrait en grande partie de l'état de détérioration du magasin principal.

— Nous allons passer la semaine prochaine à Winnipeg pour examiner les livres, a-t-elle ajouté. Nous nous rendrons en voiture, et ta grand-mère nous rejoindra là-bas par avion. Nous en saurons davantage, après ça.

★

Cet après-midi, quand j'ai dit à ma mère qu'à titre d'homme de treize ans je me sentais parfaitement capable de m'occuper de moi-même en leur absence, elle m'a annoncé qu'elle avait déjà tout arrangé et que j'allais rester chez Roger. On pourrait imaginer que j'en serais ravi, puisque Roger est mon meilleur ami, mais rien n'est plus éloigné de la vérité. La chambre de Roger n'a pas vu le bout d'un aspirateur depuis la fois où sa mère a accidentellement aspiré sa tarentule, qui avait fait son nid dans une pile de sous-vêtements sales et de papillotes de bonbons. Il n'a plus le droit de garder ses animaux familiers dans sa chambre, depuis, mais le problème n'est pas là : en fait, l'endroit présente des risques pour la santé publique et je ne me suis jamais senti à l'aise de me vautrer dans la crasse d'autrui. Je demanderai peut-être à madame Dodger de me préparer la chambre d'invités.

★

Jusqu'ici, la vie chez Roger a été aussi pénible que ce que j'avais prévu. Sa mère a cru à une blague quand je lui ai demandé de me préparer la chambre d'invités, de sorte que j'ai passé la nuit dernière recroquevillé dans mon sac de couchage, craignant à tout moment que le *jockstrap* de Roger suspendu au luminaire me tombe en plein visage. Et aujourd'hui après l'école, j'ai piqué dans le frigo ce que je croyais être un contenant de pouding au chocolat, et j'ai bien failli avoir une crise cardiaque quand j'ai découvert que c'était rempli à ras bord de souris mortes.

— C'est un Festin de souris, a expliqué Roger en m'aidant à me relever. Le souper de Georges.

— C'est qui, Georges ? ai-je demandé d'une voix quasi hystérique.

— Mon serpent des blés, a chuchoté Roger.

Il a hésité un instant, puis il m'a confié :

— En fait, il a disparu depuis lundi.

★

Ce soir, lorsque mes parents m'ont téléphoné pour me souhaiter bonne nuit, ils ont laissé entendre que la situation de la Maison des toilettes est encore plus désastreuse que ce que craignait ma grand-mère. Il semble que le quartier où se trouve le magasin se soit vraiment détérioré depuis quelques années et que ça ait fait fuir une grande partie de la clientèle. La diminution des ventes a obligé le gérant à couper les salaires, ce qui a provoqué le départ du personnel d'expérience. Depuis, c'est la pagaille. Mon père pense qu'il pourrait faire de grandes choses avec le magasin, mais, après avoir passé en revue les états financiers, ma mère n'est pas du tout disposée à courir ce risque.

— Après tout, a-t-elle fait remarquer, nous avons tous deux un bon emploi à Regina, et un tiens vaut mieux que deux tu l'auras.

Avant de raccrocher, je leur ai parlé de Georges et du *jockstrap* et je leur ai demandé de…

— AHHH ! ROGER ! ROGER ! JE VOIS GEORGES ! DANS LA SALLE DE BAINS – IL

VA M'ATTRAPER, ROGER ET... OH, NON – ATTENDS UNE MINUTE – C'EST SEULEMENT LA CEINTURE DE ROBE DE CHAMBRE DE TON PÈRE... QUOI?... JE N'ENTENDS PAS CE QUE VOUS DITES, MADAME DODGER – PARLEZ PLUS FORT. POURQUOI CHUCHOTEZ-VOUS?... OH! Eh bien, oui, effectivement, JE PEUX arrêter de crier avant de réveiller toute la maisonnée.

... revenir au plus vite, avant que je sois traumatisé pour la vie.

★

Mes parents sont rentrés de Winnipeg et, à ma consternation, ils tergiversent encore quant aux possibilités que leur offre la Maison des toilettes. Mon père est plus déterminé que jamais à prouver sa compétence à ma grand-mère, et celle-ci s'est effondrée en se plaignant de douleurs à la poitrine quand il a laissé flotter l'idée qu'il prendrait peut-être la direction du magasin. Cependant, ma mère ne veut pas le voir se lancer dans une situation où il n'y a rien à gagner, d'autant plus que la mauvaise gestion de l'inventaire et une perception déficiente des comptes clients ont plongé l'entreprise dans une position précaire quant à son encaisse. Selon moi, elle est simplement jalouse que mon père soit aussi décidé alors qu'elle continue à parler pour ne rien dire.

Sur une note plus positive, ma mère a retrouvé Georges en défaisant mon sac de voyage. Non seulement Roger est-il soulagé de le ravoir enfin, mais la réaction de ma mère m'a paru des plus distrayantes quand elle a aperçu ce serpent des blés d'une trentaine de centimètres emmêlé dans mon maillot de bain.

★

J'ai suggéré à ma mère de raviver la spontanéité de sa jeunesse, celle qui l'avait incitée, il y a quatorze ans, à se sauver à Grand Forks pour épouser un homme qu'elle connaissait à peine alors qu'elle n'était même pas enceinte.

— Ta réticence à envoyer voler la prudence pour sauter à pieds joints dans la Maison des toilettes te donne vraiment l'air vieillotte et moyenâgeuse, lui ai-je dit.

J'avais l'impression que ce petit discours serait peut-être précisément le stimulus choc dont elle avait besoin pour arrêter ses sempiternelles jérémiades sur les pour et les contre de prendre les rênes de l'entreprise. Mais au lieu de ça, elle a jeté d'un air grincheux :

— Si tu écoutais ce que je dis, tu apprendrais peut-être quelque chose.

— La seule chose que j'apprends, c'est que tu peux parfois être vraiment barbante, ai-je riposté.

Là-dessus, elle m'a envoyé dans ma chambre.

Barbante, comme je disais…

★

Cet après-midi, le prof nous a remis nos notes pour l'examen final de mathématiques. Un peu plus tard, alors que la classe était absorbée dans une étude individuelle pour laquelle je n'éprouvais aucun intérêt, je suis allé à son bureau et je lui ai expliqué que, selon moi, ma note ne reflétait pas mon énorme potentiel intellectuel et que je souhaiterais qu'elle soit remontée à D–. Mais il n'a pas voulu. Il m'a fait remarquer que, comme je n'étais jamais attentif en classe et que je ne finissais jamais mes devoirs, ma piètre performance ne devrait pas provoquer chez moi une telle commotion.

— Pourtant, je suis bel et bien commotionné, ai-je avoué.

Je lui ai alors demandé la permission d'aller m'étendre à l'infirmerie jusqu'à ce que mon malaise soit passé. Devant son refus, je me suis effondré sur son bureau pour démontrer à quel point j'étais sincèrement secoué, mais il était trop occupé à éponger son café renversé pour y prêter tellement attention.

★

À cause des compressions budgétaires du gouvernement, ma mère a été inopinément congédiée de son emploi comme infirmière en santé publique. Elle est anéantie et, bien sûr, je me sens terriblement mal pour elle, mais quelle occasion formidable pour mon père et moi ! Elle passera dorénavant la majeure partie de ses longues journées ennuyantes assise à la maison devant la télé – alors ici ou à Winnipeg, où est la différence ?

★

Comme je l'avais prédit, quand je suis rentré de l'école, aujourd'hui, ma mère était étendue sur le divan à regarder l'émission d'Oprah Winfrey en dévorant un gros sac de croustilles au fromage. Voulant faire mon comique pour lui remonter le moral, je me suis mis à fredonner :

— Un moment dans la bouche, toute la vie sur les hanches !

Pour toute réponse, elle m'a lancé une cannette vide de cola diète en me disant d'aller lui en chercher une autre dans le frigo.

Ouais, ça promet d'être joyeux, cette réclusion forcée !

★

Ma tante Maude a téléphoné ce soir pour témoigner sa sympathie à ma mère. De ce que j'ai pu saisir de leur conversation, elles ont surtout déploré à quel point les bozos qui mènent le gouvernement provincial agissent comme des crétins en coupant dans les programmes de santé communautaires susceptibles d'améliorer la situation à long terme.

— Tu as parfaitement raison, Maude, fulminait ma mère. De telles décisions font preuve d'un grand manque de prévoyance et auront assurément d'énormes conséquences.

Plus tard, mon père lui a apporté un thé à la menthe au lit. À écouter maman baragouiner sur sa conversation avec tante Maude, il a raté la meilleure séquence d'une rediffusion de M*A*S*H. Moi, ça m'aurait fait tomber dans le coma, mais lui, il disait des trucs comme : « Je suis bien d'accord ! » ou « Voilà un excellent argument ! » ou encore « Et si je te faisais un massage de pieds, ma chérie ? »

Après avoir entendu ça, j'en ai eu assez, alors j'ai décollé mon oreille de leur porte de chambre et je suis allé me coucher.

★

Grâce au soutien affectueux de sa famille, ma mère est redevenue elle-même, c'est-à-dire agressive et entêtée. Elle a conclu que de perdre son emploi n'était pas la fin du monde et qu'il était temps qu'elle cesse de se prendre en pitié.

— Là-dessus, je suis tout à fait d'accord, ai-je renchéri. Personne n'aime les râleurs.

— Tiens, tiens, mais regarde donc qui parle ! a-t-elle persiflé avant de rire un bon coup à mes dépens.

Je n'ai aucune idée de ce qu'elle veut dire. Je ne râle jamais, sauf si quelque chose m'agace, et il se trouve tout simplement que je suis plus sensible que le commun des mortels à un grand nombre d'irritants. Mais enfin, ce n'est pas parce que quelqu'un est sensible qu'on a raison de rire de lui.

Ma mère a ajouté que comme elle devrait recommencer à zéro, de toute façon, elle pouvait le faire à Winnipeg aussi bien qu'ici.

— J'ai encore des incertitudes quant à la viabilité du magasin principal et à la capacité de ma mère de ne pas se mettre le nez dans les affaires, a-t-elle reconnu, mais ça semble très important pour ton père. Du reste, le pire qui peut arriver est le pire qui peut arriver.

Je lui ai suggéré de tempérer un peu son enthousiasme, de peur que les gens de *Up With People*[1] ne viennent l'enlever pendant la nuit,

---

1. *Up With People* est un programme international de six mois pendant lesquels les participants voyagent dans divers continents. Le programme vise à changer leur vision du monde par une immersion culturelle totale, des activités musicales, du service communautaire, des séminaires intensifs, etc.

mais elle s'est contentée de rire et de me claquer sa gomme à mâcher au nez.

J'étais sarcastique, bien sûr. Je ne crois pas vraiment que les dépisteurs de ce programme viendraient l'enlever pendant la nuit, et s'ils le faisaient, ils s'empresseraient probablement de la ramener au galop. Ce n'est pas son genre de frayer avec les tenants de l'amour libre.

★

Aujourd'hui, j'ai informé mes camarades de classe que je quittais Regina pour toujours. J'ai senti, à leurs applaudissements bruyants et soutenus, qu'ils étaient heureux de ma bonne fortune – tous, à l'exception de Carlo Dinino qui m'a crié :

— Bon débarras !

Il a alors fait plusieurs gestes grossiers qui pointaient vers son entrejambe et je l'ai dénoncé au prof. Comme il se faisait traîner au secrétariat, j'ai essayé de lui expliquer qu'il avait couru après, mais il a brandi son poing vers moi avec une telle violence que j'ai laissé tomber.

Il y a des fois où il vaut mieux abandonner pendant qu'on a encore l'avantage.

★

Mon père a donné sa démission à la Grange aux aliments. Tout le monde est triste de le voir partir, sauf son patron, Johnny O'Piglet. Pourquoi ? Eh bien, parce que c'est mon père qui l'a baptisé de ce sobriquet (O'Piglet veut dire O'Cochonnet) et qu'un jour, sans faire exprès, il l'a appelé comme ça devant tout le monde, au magasin.

★

L'école est finie et je dois admettre que je suis déçu que ma classe ne m'ait pas organisé une fête d'adieu. Cependant, l'enseignant m'a emmené à l'écart. Il m'a dit que j'ai en moi ce qu'il faut pour devenir quelqu'un de bien en grandissant, à condition d'y mettre toute ma volonté.

Je suis touché. Mon prof et moi ne nous sommes pas vraiment bien entendus au cours de l'année, et je pense que c'était un beau geste de sa part que d'admettre que j'ai du potentiel.

★

Ce soir, une vieille dame qui fréquente régulièrement l'allée des fruits et légumes à la Grange aux aliments est arrivée au magasin avec un plateau de biscuits et une carte sur laquelle était écrit : *Adieu, jeune homme aux fruits*. Mon père était terriblement ému – il a toujours considéré le service à la clientèle comme plus important que la gestion des fruits dans son emploi. Il soutient que c'est pour ça que son travail est demeuré un défi, même après toutes ces années.

Tout ce que j'ai à dire, c'est qu'il doit être pas mal sûr de sa masculinité pour se laisser interpeller comme le *jeune homme aux fruits.* Au cas où il n'aurait pas remarqué, il a largement entamé la trentaine.

★

Roger et moi avions planifié de passer l'été à la piscine extérieure de la ville pour reluquer les belles nageuses, sauf que sa mère tenait à ce que mon ami accompagne la famille à Disney World. Ça fait donc trois semaines que j'erre tout seul d'une pièce à l'autre, à défaire les boîtes que ma mère emballe si soigneusement en vue de notre déménagement à Winnipeg. Elle menace de me trouver une activité productive si je continue à nuire au progrès, mais je pense que nous savons tous les deux qu'elle bluffe.

★

Horreur et mal de cœur ! Ma mère a offert mes services (bénévoles) au centre d'accueil communautaire et je vais devoir y rester jusqu'à ce que la toute dernière boîte contenant nos affaires soit chargée dans le camion de déménagement.

— Mais pourquoi ? ai-je crié en agitant une paire de chandeliers en laiton.

Pour toute réponse, elle me les a arrachés des mains, les a remballés dans du papier journal et m'a chassé de la pièce.

★

Kevin, le coordonnateur du centre d'accueil, m'a nommé responsable des pâtes. Ce qui n'est pas une aussi bonne chose que ça peut paraître – ces pâtes ont un goût absolument dégueulasse. De longues semaines en perspective.

★

Roger est revenu. Il m'a rapporté une paire d'oreilles de souris de Disney World, et m'a raconté plein d'histoires excitantes sur les tours de manège… qui, moi, m'auraient fait vomir. Je l'ai supplié de considérer la possibilité de devenir mon assistant au comptoir de pâtes, mais il a refusé, alléguant qu'il n'y aurait pas de belles nageuses à reluquer – un argument irréfutable.

★

En revenant du centre communautaire, aujourd'hui, j'ai été faire un tour à la succursale de Regina de la Maison des toilettes, pour que les ploucs locaux sachent que nous allons incessamment quitter la ville. C'est difficile de jauger le niveau de leur déception, parce qu'ils ont beaucoup souri et qu'ils m'ont abondamment félicité de ma bonne fortune, mais je sais qu'ils doivent trouver ça dur. Il est assez rare que des lourdauds de province d'une chaîne de magasins établie d'un océan à l'autre aient la chance de côtoyer le futur propriétaire de la compagnie.

★

Ruth, la conjointe de tante Maude, a dressé une liste de propriétés à louer parmi lesquelles nous pourrons choisir, une fois à Winnipeg. En plus d'être une activiste sociale d'extrême gauche, Ruth est agente d'immeubles, et je lui ai énuméré les nombreuses caractéristiques que je voudrais retrouver dans notre futur logement, incluant une grande salle de bains de luxe pour moi et un aspirateur central pour ma mère. Ruth a semblé étonnée, mais je lui ai expliqué :

— Je ne pense pas toujours seulement à moi, tu sais.

J'ai ajouté que si elle devait donner priorité à quelque chose, la salle de bains luxueuse devrait passer avant l'aspirateur. Elle a dit qu'elle prendrait cela en considération. C'est une bonne personne, cette Ruth.

★

C'était la dernière fois que Roger et moi regardions la télé ensemble en mangeant des gâteaux au chocolat. J'ai dormi chez lui, hier soir, et, après avoir joué des tours au téléphone à notre enseignant et s'être tiraillés pour regarder les photos que Roger a prises de mes parents quand ils se bécotaient, on s'est assis dans l'escalier arrière et on s'est fait des promesses illusoires de garder le contact.

Roger va me manquer. C'était un bon copain.

★

Le voyage vers Winnipeg a été long et fastidieux et je n'ai pas arrêté de gémir. Et pour de vraies bonnes raisons, dont le fait que ma mère me faisait jouer aux devinettes à la moindre lamentation, ce qui est à peu près aussi amusant que de recevoir une épingle dans l'œil.

Depuis que nous sommes ici, nous logeons à l'hôtel Royal Victoria. Je me lève de bonne heure le matin et je m'amuse à aller voler les écriteaux *NE PAS DÉRANGER* sur les poignées de portes, dans l'espoir que les femmes de chambre surprennent les clients en train de forniquer. Chaque après-midi, je raffine mes plongeons en boulet de canon jusqu'à ce que le gérant me chasse de la piscine. Au début, je me tenais avec une équipe de natation de Calgary, mais personne ne m'a adressé la parole depuis que je suis tombé sur un de leurs membres en faisant mon fameux boulet de canon, hier après-midi.

Ça fait bien mon affaire, au fond. Toutes les filles de cette équipe-là sentent le chlore.

★

Tante Maude et Ruth nous ont offert une chaleureuse fête d'accueil au Manitoba, ce soir. Ruth nous avait invités à passer chez elle après que tante Maude serait rentrée de sa journée de travail à l'hôpital, disant qu'elle allait commander des mets chinois. Nous n'avions pas sitôt mis les pieds dans leur entrée (décorée avec beaucoup de goût) que trois douzaines de lesbiennes que nous n'avions jamais vues se sont mises à nous crier : *BIENVENUE À WINNIPEG !* Mon père a sursauté si fort qu'il a fait tomber un gros vase qui devait valoir très cher. Il a atterri juste devant ma mère, qui a trébuché dessus, déchirant son pantalon d'entraînement préféré.

— Est-ce que ça veut dire qu'on ne mangera pas de boulettes de porc ? ai-je demandé.

En guise de réponse, tante Maude m'a entraîné vers la salle à manger, où les traiteurs étaient en train de dresser un festin de première classe en notre honneur.

Demain, nous louerons notre logement. Après le traitement royal que nous avons reçu ce soir, j'ai hâte de voir les propriétés que Ruth a dénichées pour nous !

★

À ma grande déception, pas une seule maison dans la liste de Ruth ne contient une salle de bains de luxe pour moi. Je trouvais qu'elle avait très mal suivi mes consignes. Quand je le lui ai souligné, elle s'est lancée dans une tirade sur la reconnaissance que je devrais avoir pour tout ce que je possède dans un monde où tant de gens ont si peu. C'est là que j'ai compris pourquoi ceux qui s'indignent facilement sur les questions d'éthique sont parfois si impopulaires. Personnellement, je voudrais devenir un activiste d'esprit libéral, mais seulement si je peux demeurer dans le courant dominant du conservatisme. Je ne vois pas le bien-fondé de l'indignation morale, si ça vous étiquette comme paria de la société. Qui en bénéficie ?

Quoi qu'il en soit, mes parents ont opté pour un logement à proximité de la Maison des toilettes. En tant que gérant d'un commerce local, mon père croit que sa famille doit s'intégrer dans la communauté.

— Mais pour qui tu te prends, au juste ? lui ai-je demandé. Pour le Parrain ?

Je l'ai supplié de revoir sa décision et de louer une maison dans un quartier opulent, mais il a refusé.

— Ça veut dire que vous ne m'inscrirez pas à une école privée sélecte, non plus ? lui ai-je demandé.

Il a confirmé que je fréquenterais encore l'école publique.

L'école publique ! C'est pire que ce que je pensais.

★

J'arrive de faire un tour à pied du quartier. À part la Maison des toilettes, il y a un café, une station-service, un centre commercial linéaire, un hôtel et un bar, un dépanneur, un magasin de vins et spiritueux, une soupe populaire, deux magasins d'usine où l'on vend des vêtements au rabais, et la boutique d'un prêteur sur gages où je viens d'apprendre que je peux obtenir de l'argent comptant en échange de certains appareils électroménagers. Je parie que ma mère ne se rendrait même pas compte de leur disparition.

La situation pourrait être moins grave que je le craignais.

★

Ce matin, pendant que ma mère prenait sa douche, j'ai mis le mélangeur, le malaxeur et la mijoteuse dans un sac et j'ai couru chez Félix, le prêteur sur gages. Malheureusement, il n'a pas voulu les prendre sans une note de ma mère, même si je lui ai donné ma parole d'honneur solennelle que j'avais la permission de les vendre.

C'est difficile d'imaginer qu'une parole d'honneur solennelle n'ait pas plus de poids en ce monde.

★

Nous avons fait une visite au magasin principal de la Maison des toilettes, aujourd'hui. Pendant que mon père rencontrait les cadres supérieurs, j'ai fait mon inspection habituelle. Les vendeurs me zyeutaient tandis que je déambulais au milieu d'eux en leur indiquant les étalages qui avaient besoin d'époussetage, et j'étais intérieurement bien amusé par leur réaction impressionnée, jusqu'à ce que l'un d'eux me fasse remarquer que du papier hygiénique pendait de ma culotte.

Plus tard, quand ma grand-mère a téléphoné pour donner à mon père quelques tuyaux additionnels sur la façon d'atteindre les objectifs de vente agressifs qu'elle a ciblés pour lui, je me suis plaint de ce manque de respect à mon égard.

— Ce sont les résultats qui comptent, pas le respect, a-t-elle dit. Le respect ne se dépose pas à la banque.

— Les côtes de bœuf au barbecue non plus, ai-je répliqué, mais elles sont quand même en haut de ma liste de priorités.

Elle a ricané et m'a traité de blanc-bec, puis elle m'a promis des côtes de bœuf la prochaine fois qu'elle viendrait en ville.

★

Ce sera la rentrée des classes dans quelques jours. Cet après-midi, après m'avoir acheté des fournitures scolaires et quelques chemises en velours, ma mère a conduit la voiture jusque devant ma nouvelle école. Elle paraît bien plus grosse que celle où j'allais à Regina, et je suis certain que je l'aurais trouvée très intimidante si je n'étais pas aussi confiant en mon habileté à exceller en tout – sauf dans les travaux scolaires et les efforts athlétiques.

Je me demande comment les étudiants moins doués peuvent faire face à la pression d'un changement d'école.

★

C'était la rentrée scolaire aujourd'hui. Ma nouvelle institutrice, mademoiselle Thorvaldson, est une véritable carte de mode, avec ses bottes aux talons de quinze centimètres qui lui montent aux genoux, son collier à deux rangs de perles et sa robe gilet en tricot noir qui ne laisse pratiquement rien à l'imagination. Ce qui est loin d'être aussi excitant que vous pourriez l'imaginer, parce qu'elle est également la femme la plus obèse que j'aie jamais vue. En fait, j'étais tellement abasourdi par sa corpulence que je ne n'ai rien pu faire d'autre que la dévisager, les yeux écarquillés, jusqu'à ce qu'elle me fusille du regard et m'ordonne d'aller à ma place.

Je partage un pupitre avec une fille appelée Missy Shoemaker. Je lui ai dit que j'espérais qu'elle n'était pas une de ces *Miss-je-sais-tout* qui préfèrent avoir de bonnes notes plutôt que du succès auprès des gars et elle m'a envoyé promener. Le gars derrière moi est une brute nommée Lyle Filbender, que j'ai surpris à se curer le nez pendant le cours de sciences humaines et sociales.

— Qu'as-tu à me fixer comme ça, espèce de moron ? qu'il a grommelé.

J'ai jeté un regard entendu sur son index. Il a réagi en me lançant sa crotte de nez d'une chiquenaude. S'il continue à se comporter comme ça, je n'aurai d'autre choix que de le rapporter. Les crottes de nez sont une affaire hautement insalubre.

Il y a un seul nouveau dans la classe à part moi : il s'appelle John Michael Sweetgrass. Jusqu'ici, il fréquentait l'école Niji Mahkwa, une institution qui accueille spécifiquement les élèves issus des Premières Nations du Canada, mais il a changé d'école parce qu'il en avait assez de prendre l'autobus pour y aller.

— Tu es fou, lui ai-je dit pendant le dîner. Moi, je ferais à peu près n'importe quoi pour ne pas avoir à marcher jusqu'à l'école.

Puis je lui ai offert d'échanger la moitié de mon sandwich aux œufs dégueu contre deux de ses profiteroles, et il a accepté.

Ce pourrait bien être le début d'une belle amitié.

★

Je viens d'apprendre que nous aurons un cours d'éducation à la vie familiale, cette année. Ça, c'est seulement un autre nom qu'ils donnent à l'éducation sexuelle, et j'ai bien hâte que ça commence. La puberté m'attend au tournant et mon père fait un piètre travail d'éducateur à la maison. Il demeure évasif sur des sujets tels que la meilleure manière d'inciter une fille à soulever sa blouse, parce qu'il juge qu'il ne devrait pas me dire de telles choses. J'ai beau lui expliquer que c'est son devoir, à titre d'homme et de père, de m'enseigner les subtilités de la sexualité, il se contente de répondre des trucs comme : « Je ne suis pas certain » ou « Lâche le soutien-gorge de ta mère ».

Pourvu que le prof d'éducation à la vie familiale ne jette pas du revers de la main d'aussi beaux moments d'enseignement.

★

Quelle coïncidence ! John Michael habite juste au bas de la rue, et sa mère travaille au Blue Moon Café – là où l'on fabrique les délicieuses profiteroles que j'ai dégustées avec tant de plaisir l'autre jour au dîner ! Lorsque j'ai dit à John Michael que ça le mettait dans une très bonne position pour devenir mon nouveau meilleur ami, il a paru content.

★

John Michael avait une leçon de kick-boxing après l'école aujourd'hui, et comme on ne pouvait pas rentrer ensemble, j'ai déambulé jusqu'au dépanneur, où je me suis creusé la tête pour savoir quel bonbon acheter avec le peu d'argent de poche qu'on me donne. Après avoir été prié de quitter le magasin pour avoir reluqué de trop près les Fun-Dips, je suis tombé sur le gérant de la Mission de la Sainte Lumière, un type appelé Jerry, qui distribuait des sandwiches au Cheez Whiz gratuits aux gens qui flânaient dans le terrain vague adjacent à la Mission. Je me suis présenté à Jerry et je lui ai dit que je préférais les viandes froides.

— Distribuer des sandwiches gratuits n'est pas la bonne façon de gérer un commerce, mon ami, ai-je ajouté.

Jerry s'est mis à rire et m'a expliqué que son travail était de nourrir les affamés. Il y avait là une vieille dame coiffée d'une toque bleue toute flasque. Je l'ai vue enfouir un demi-sandwich dans la poche de son pardessus crasseux et j'ai fait remarquer à Jerry que son travail devait être le pire du monde entier.

— Bien au contraire, a-t-il répliqué. C'est un privilège de servir mes frères humains. Tu devrais essayer ça, un de ces jours.

Je lui ai expliqué que j'avais les mains pleines rien qu'à m'occuper de mes propres intérêts, puis je lui ai souhaité bonne chance et j'ai poursuivi mon chemin.

★

Cet après-midi, j'ai fait la connaissance de Marv, le propriétaire de la station-service du coin de la rue, quand j'ai fait irruption dans son établissement pour aller aux toilettes. J'avais bu une boisson gazeuse grand format qui avait circulé à travers mon corps plus vite que prévu, et je n'étais pas certain de pouvoir rentrer chez moi sans avoir un accident.

— Les toilettes sont pour les clients payants, a-t-il grogné en se lançant dans une longue tirade déprimante sur les gens comme moi qui passent leur temps à flâner aux alentours en faisant fuir les clients payants.

— Si vous ne me laissez pas utiliser les toilettes immédiatement, ai-je crié, affolé, ça se pourrait très bien que j'urine sur votre plancher !

Je l'ai invité à imaginer combien de clients payants seraient rebutés par un tel incident.

— Désolé, s'est-il contenté de dire. Si je brise les règles pour toi, je vais devoir les briser pour tout le monde.

Quel raisonnement absurde. Quand les gens apprendront-ils que de m'accorder un traitement de faveur ne donne pas aux autres le droit d'en espérer autant ?

★

Ce soir après souper, mon père est retourné à la Maison des toilettes et je l'ai accompagné. Il travaille tard presque chaque soir, ces temps-ci, et ma mère voulait que je m'assure qu'il rentre à une heure décente, pour une fois. Je comptais en profiter pour mettre certaines choses au clair, mais avant que j'aie fini de lui poser une seule des longues questions troublantes qui me harcelaient depuis le souper, mon père m'a suggéré d'aller explorer les lieux. J'ai filé tout droit vers le bureau du gérant adjoint. J'ai passé presque quinze minutes à examiner ses documents personnels et à explorer le contenu de sa table de travail, mais je n'ai rien déniché d'intéressant jusqu'au moment de sortir, quand j'ai repéré une boîte de métal verrouillée cachée dans le palmier en pot près de la porte. Je l'ai secouée et j'ai entendu un tintement – comme celui d'un coffre aux trésors. J'en ai immédiatement scruté le moindre centimètre, à l'affût d'une étiquette, d'un collant ou de tout autre indice d'appartenance. Mais comme je ne voyais rien – pas même une égratignure –, j'en ai conclu que c'était un cas flagrant de « qui trouve garde ». Tout excité, j'ai donc enfoui la boîte sous mon blouson.

Plus tard, dans l'intimité de ma chambre, j'ai forcé la serrure à l'aide d'un tournevis. La boîte était remplie d'argent – il y avait là plus de neuf cents dollars ! J'ai fait une grosse liasse avec les billets et je l'ai enfouie dans la poche arrière de mon jean. Ça ne me fait pas un très beau derrière, mais je vais sûrement pouvoir me permettre de négliger un peu mon apparence, dorénavant. Les hommes riches sont toujours populaires, même s'ils sont laids (Donald Trump, par exemple). J'espère seulement ne pas avoir à dépenser de grosses sommes pour satisfaire mes flagorneurs et mes nanas, parce que l'avidité est une base trompeuse sur laquelle fonder une amitié. Je veux bien être populaire comme un gars riche, mais j'ai envie qu'on m'aime pour autre chose que mon argent.

★

J'ai parlé à John Michael du trésor que j'ai déniché. Plutôt que de me dire spontanément qu'il était content pour moi, il m'a fait part de sa préoccupation à l'idée que j'avais volé quelque chose dans le bureau du gérant adjoint. Ça m'a froissé et je lui ai fait remarquer que de trouver un objet à moitié enterré dans la terre, c'est pratiquement la même chose que de le trouver dans les ordures et que, si la boîte en question avait été aussi précieuse pour son propriétaire, il aurait écrit son nom dessus.

— Toi, est-ce que tu laisserais traîner neuf cents dollars dans une boîte non identifiée ? lui ai-je demandé.

Juste comme John Michael ouvrait la bouche pour me présenter (assurément) ses excuses sincères pour avoir douté de mon honnêteté, mademoiselle Thorvaldson m'a sommé de bien vouloir retourner à ma place et de garder le silence pendant les annonces du matin.

— Oui, dans une minute, ai-je répondu.

Et j'ai essayé de revenir à ma conversation avec John Michael, mais elle n'arrêtait pas de m'interrompre et elle a fini par me prendre par le bras, me traîner dans l'allée et m'asseoir sur ma chaise.

★

Beurk… j'ai flambé de grosses sommes d'argent pour m'acheter des bonbons, depuis quelques jours, et me voilà la bouche pleine d'ulcères horriblement douloureux. Le gérant du dépanneur a dit que jamais, de toute sa vie, il n'a vu quelqu'un bouffer autant de Fun-Dips, mais je lui ai répondu que ce n'était vraiment pas de ses affaires. Oh là là, il suffit de lancer un peu d'argent par les fenêtres pour que n'importe qui commence à émettre son opinion !

Malheureusement, ma cote de popularité n'a pas encore bondi. J'espérais que les gens seraient capables de sentir ma richesse, mais il semble que je vais devoir graisser les rouages moi-même. J'ai déjà l'impression qu'on se sert de moi.

★

J'ai distribué cinquante dollars aux gens de la rue à la Mission de la Sainte Lumière. Il y a eu des larmes de joie. J'admets que ce n'est pas la meilleure foule auprès de qui devenir populaire, mais je me suis dit que je pouvais gagner leur sympathie sans trop me ruiner. Jerry était très surpris.

— Où as-tu pris tout cet argent ? a-t-il demandé. Et es-tu certain que tes parents sont d'accord pour que tu le donnes ?

En guise de réponse, j'ai flambé un autre billet de cinq en riant.

★

Ma mère me croit malade parce que je mange à peine au souper, cés jours-ci. En réalité, je me rends en cachette à la Rôtisserie Poulet-tout-frit, après l'école, et je bouffe un repas de quatre morceaux de poulet, avec salade de chou et grosses frites. Ça, par contre, je ne le lui ai pas dit. J'en ai plutôt profité pour lui faire savoir que je ne trouvais pas ses repas tellement alléchants, ajoutant que mon appétit reviendrait peut-être si elle nous servait moins souvent du macaroni au bœuf haché. Elle n'a pas répondu favorablement jusqu'ici, mais j'ai bon espoir.

J'ai fait mes calculs, ce soir : il me reste assez d'argent pour commander cent douze repas de quatre morceaux de poulet, à condition de ne plus faire la charité. Le temps est donc venu de me serrer la ceinture. Dommage pour les gens de la rue de Jerry.

★

Je n'ai pas encore parlé à mes parents de ma générosité envers les flâneurs de la Mission de la Sainte Lumière. J'espère qu'ils viendront à l'apprendre de la bouche d'un de mes bénéficiaires. De cette façon, je donnerai l'impression d'être non seulement gentil et généreux, mais humble également. J'ai tellement hâte qu'ils en entendent parler. Je serai un héros !

★

Il y a eu un vol à la Maison des toilettes. Notre petite caisse a été volée ! La petite caisse, c'est de l'argent comptant qu'un commerce garde à portée de la main pour défrayer les menues dépenses. Le gérant adjoint affirme qu'il la garde toujours dans un coffret en métal verrouillé sur la tablette supérieure de la bibliothèque, dans son bureau, mais aujourd'hui, quand il a voulu payer le commissionnaire, il a constaté que le coffret avait disparu ! J'ai songé à mentionner le coffret en métal verrouillé que j'ai trouvé, mais j'ai conclu qu'il s'agissait d'une simple coïncidence. Après tout, je l'ai déniché dans le pot du palmier – on est loin de la bibliothèque, là. John Michael affirme que je coupe les cheveux en quatre, mais, pour sauver notre amitié, j'ai décidé de ne pas tenir compte de son commentaire.

★

Missy Shoemaker a demandé à partager son pupitre avec quelqu'un d'autre à cause de mes flatulences. Je suis humilié. Ça doit être à cause du poulet frit – sans doute un élément chimique de la chapelure croustillante qui ne me réussit pas. J'ai essayé de plaider auprès de Missy, mais elle dit que je dégage une odeur de mulot mort pris dans un conduit de chauffage.

Je pense pouvoir confirmer sans me tromper que d'être populaire auprès des garçons ne figure pas en tête de sa liste de priorités.

★

Une femme qui fait partie de l'équipe d'entretien ménager a avoué avoir heurté la bibliothèque du gérant adjoint avec son aspirateur un soir de la semaine dernière, faisant ainsi tomber un coffret métallique verrouillé qui était sur la tablette supérieure. En larmes, elle a expliqué qu'elle avait voulu le remettre à sa place, mais que, juste au moment où elle le ramassait, elle nous a entendus venir, mon père et moi, et qu'elle a paniqué. Apparemment, elle avait été mise à la porte de son emploi précédent à cause d'une fausse accusation de vol, et comme elle a vraiment besoin de travailler, elle a décidé de larguer le précieux coffret dans le pot du palmier pour éviter qu'on la surprenne avec l'objet dans les mains et qu'on en tire les mauvaises conclusions.

Je me rends compte, maintenant, qu'il y a de fortes probabilités que mon coffret métallique verrouillé soit bel et bien celui que tout le monde cherche. Il est évidemment trop tard pour je fasse quoi que ce soit, cependant. Je continue donc à me gaver secrètement de poulet rôti. Également, parce que je ne veux pas que la pauvre femme de ménage prenne le blâme pour quelque chose que j'ai fait, j'ai commencé à faire remarquer qu'en toute justice chacun des trente-deux employés de la Maison des toilettes devrait figurer sur la liste des suspects.

— N'importe quel d'entre eux aurait pu prendre un tournevis et forcer cette petite serrure triangulaire, ai-je même dit à ma mère.

Elle m'a coulé un regard étrange, mais je suis certain que ça l'a fait réfléchir.

★

Comme je n'ai plus envie que mes parents apprennent que j'ai donné de l'argent aux pauvres de Jerry, j'ai discrètement demandé à ceux-ci de garder leurs accolades pour eux-mêmes. Un certain nombre d'entre eux m'ont posé des questions du genre *Qui es-tu donc ?* ou *C'est quoi, une accolade ?* de façon à me faire comprendre qu'ils acceptaient de faire semblant de ne pas se souvenir de moi, alors je pense n'avoir rien à craindre.

Non, mais ! Je donne cinquante piastres à des itinérants et je ne peux même pas me complaire dans la reconnaissance de cet acte de gentillesse désintéressée.

★

Comble de malchance ! Je marchais le long de la rue avec ma mère quand nous sommes tombés sur Jerry, qui a mentionné les cinquante dollars, affirmant qu'il était certain que Dieu avait une place spéciale au ciel pour des gens comme moi.

D'une voix forte, j'ai répondu qu'il devait me prendre pour quelqu'un d'autre, puis j'ai chuchoté à l'oreille de ma mère que nous devrions faire attention, parce que cet hurluberlu avait manifestement des hallucinations causées par la drogue. Sans tenir compte de mes propos, maman a dit à Jerry qu'elle était contente que nous ayons pu aider. Elle n'avait même pas l'air fâchée! Quel soulagement! Jerry nous a dit que nous étions les bienvenus à la Mission n'importe quand.

— N'oublie pas ton porte-monnaie! a-t-il ajouté en riant.

J'ai ri, moi aussi, ce qui l'a fait rire de plus belle, et il riait encore quand il nous a salués de la main pour nous dire au revoir.

Nous marchions vers la maison et je riais encore, mais là, ma mère m'a assené une baffe derrière la tête et m'a ordonné de me mettre à table. Elle m'a accusé d'avoir volé le coffret contenant la petite caisse à la Maison des toilettes et d'essayer de jeter le blâme sur les employés.

— Tu n'as pas de preuves! ai-je hurlé.

Je me suis mis à crier à l'injustice, jusqu'à ce qu'elle me demande où j'avais pris les cinquante dollars, et c'est là que j'ai cessé de résister et que j'ai tout avoué. J'ai tenté d'avoir l'air le plus contrit possible, tout en faisant remarquer que seule une personne au cœur de pierre pouvait demeurer impassible devant le fait que j'avais versé une portion de l'argent volé à des œuvres de charité. Ma mère m'a dit de ne pas gaspiller ma salive. Elle m'a aussi annoncé que j'allais devenir bénévole à la Mission de la Sainte Lumière un matin de chaque fin de semaine, et ce, jusqu'à Noël.

— Ça t'apprendra ce que c'est que de donner, a-t-elle ragé en me traînant le long du trottoir par le collet de mon coupe-vent jaune ronflant.

★

J'ai remis à ma mère ce qui restait de la petite caisse, et elle a paru atterrée de compter presque sept cents dollars.

— Je ne comprends pas ce que le gérant adjoint pouvait bien penser en gardant autant d'argent comptant ! s'est-elle écriée.

Elle se pompait vraiment, alors, pour augmenter sa fureur à l'endroit du gérant adjoint – et par le fait même la faire dévier loin de moi –, j'ai renchéri :

— Pas de farce ! Et il y en avait même plus de neuf cents au départ !

Au début, elle ne pouvait pas croire que j'avais dépensé près de cent cinquante dollars en malbouffe, mais je lui ai montré un gros sac rempli d'enveloppes de Fun-Dips vides dans ma penderie et je lui ai raconté mes sorties quotidiennes au Poulet-tout-frit. Alors là, elle m'a cru, mais sans décolérer pour autant.

Franchement, il y a des gens qu'il n'y a jamais moyen de satisfaire.

★

J'ai appelé John Michael ce soir pour lui annoncer la triste nouvelle. Je lui ai expliqué comment la grande gueule de Jerry m'avait plongé dans l'eau bouillante.

— Moche ! a-t-il commenté. Est-ce que ça veut dire qu'on ne pourra plus jouer au hockey dans la rue ensemble, les fins de semaine ?

— De toute façon, j'avais décidé de ne plus jouer avec toi, lui ai-je avoué. La dernière fois, tu m'as martelé de ton lancer frappé pulvérisant jusqu'à ce que je ne sois plus rien qu'une grosse ecchymose gémissante, tu te rappelles ?

Après un roucoulement de plaisir, John Michael a demandé :

— Tu penses vraiment que mon lancer frappé est pulvérisant ?

— Absolument.

J'ai voulu revenir à mes tristes nouvelles, après ça, mais il a dit qu'il devait perfectionner son maniement du bâton et il m'a raccroché au nez.

★

Missy Shoemaker prétend que je pue encore.

— Impossible ! me suis-je écrié avec consternation en voyant qu'elle se poussait à l'extrémité du pupitre que nous partageons. Je n'ai pas mangé une seule bouchée de poulet frit depuis près de trois jours !

Plus tard, pendant le cours de musique, l'idée m'est venue que je souffrais peut-être des symptômes du sevrage.

— Aie du cœur, ai-je chuchoté à Missy. Le sevrage est une condition médicale, tout comme les flatulences.

En guise de réponse, elle m'a fait tinter une cloche à vache au visage et s'est éloignée d'un pas furieux.

★

Espérant pouvoir me soustraire au bénévolat à la Mission, j'ai suggéré à Jerry de me rembourser ma générosité en me libérant de l'obligation de travailler pour lui, et ce, sans le dire à ma mère. Mais non, pas de chance.

— Dieu ne me pardonnerait jamais si je laissais une solide paire de mains se perdre à ne rien faire, s'est-il récrié.

Je lui ai fait valoir que j'étais athée et qu'il n'y aurait donc pas de problème, selon moi, mais il s'est contenté de rire et m'a envoyé aider les femmes à trancher les légumes dans la cuisine.

Plus tard, il a fallu que j'aide au service, parce que Jerry affirme que c'est important d'acquérir de l'expérience en première ligne. Chaque personne recevait un bol de soupe, un petit pain et un fruit, mais la soupe était trop liquide, les petits pains étaient rassis et les fruits avaient connu de meilleurs jours.

— Les aliments nous sont donnés, et nous sommes bien chanceux de même en recevoir, a dit Jerry.

Il a ajouté que, pour un grand nombre de ces personnes, c'était sans doute le meilleur repas de toute la semaine. Ça m'a paru difficile à croire. La plupart ne portaient même pas de loques et, si on a assez d'argent pour se vêtir, comment imaginer qu'on n'en ait pas assez pour se nourrir ? Jerry a essayé de m'expliquer que la pauvreté était une notion complexe, mais je pense qu'il masquait son étonnement devant la grande perspicacité que je démontrais après seulement quelques heures de travail.

★

En plus de me forcer à travailler à la Mission pour apprendre ce que c'est que de donner, ma mère m'oblige à distribuer les journaux pour apprendre la valeur de l'argent. La poisse ! Je lui ai seriné à répétition que je sais très bien à quel point l'argent est précieux, mais elle réplique que quiconque juge approprié de dépenser cent cinquante dollars en Fun-Dips et en poulet frit n'a manifestement aucune idée de la somme d'argent faramineuse que cela représente.

J'aurai donc un circuit de distribution de journaux ! Des plans pour me casser le dos ! Et je sais très bien que la paye des camelots est plutôt maigre. Je vais devoir travailler très, très fort pour chaque dollar gagné. Selon moi, ma mère aurait pu me trouver un meilleur travail pour me donner ce genre de leçon. Jamais je ne comprendrai sa façon de raisonner.

★

Ma distribution commençait à cinq heures trente, ce matin. Je tombe d'épuisement. Mon sac était si pesant que je l'ai laissé échapper à deux reprises. Une torture. Une fois, j'ai perdu l'équilibre et mon poing a défoncé une porte moustiquaire. Je me suis également fait une grave égratignure en prenant un raccourci à travers une haie décorative, et je me suis déboîté l'épaule en propulsant le journal par-dessus la pelouse de mes derniers clients.

Quand je me suis finalement traîné dans l'escalier de la façade, ma mère m'attendait avec une tasse de chocolat chaud, mais je suis passé près d'elle sans le boire à cause du soupçon de suffisance que je détectais dans son sourire. Plus tard, rempli de rancune à son endroit parce qu'elle m'avait fait renoncer à une vraie bonne tasse de chocolat chaud, j'ai joué les sourds quand elle m'a souhaité une bonne journée à l'école et j'ai quitté la maison sans lui permettre de m'embrasser.

Je n'y comprends rien. Du jour au lendemain, ma mère semble avoir perdu sa capacité d'entrer en relation avec moi. Elle va devoir travailler un peu plus fort si elle veut qu'on puisse s'entendre.

★

Il faisait tellement froid, ce matin, quand je me suis éveillé, que j'étais certain qu'on n'exigerait pas de moi que je distribue les journaux. Ma mère était d'accord, mais elle m'a suggéré d'aller vérifier, au cas où ils auraient été déposés à l'endroit convenu.

— S'ils ne sont pas là, tu pourras revenir à la maison et je te borderai moi-même dans ton lit, a-t-elle promis.

Rempli d'excitation, j'ai couru le long de la rue jusqu'à l'intersection, pour m'apercevoir que les patrons du *Winnipeg Daily News* étaient très ponctuels. Déconfit, je me suis étendu sur le trottoir et j'ai pensé à quel point ma mère se sentirait mal quand on découvrirait ma carcasse congelée. Puis je me suis mis à avoir froid aux pieds, alors je me suis relevé et j'ai assemblé mon butin. Ma mère m'a encore fait du chocolat chaud ce matin, et aussi des muffins aux brisures de chocolat (à partir d'un mélange), mais j'ai résolu de ne jamais lui pardonner tout cela.

★

Cet après-midi, pendant que le reste de la classe faisait la queue pour aller au gymnase, j'ai demandé à mademoiselle Thorvaldson d'être exempté du cours à cause de ma douleur aux épaules. Je lui décrivais l'indicible agonie causée par le poids de quarante journaux quand Missy Shoemaker s'est vantée d'en distribuer deux fois autant, soit quatre-vingts, et ce, sans problème.

— Tu es une mauviette, ou quoi ? m'a-t-elle chuchoté à l'oreille.

Donc, avec toute la dignité que j'ai pu trouver, j'ai retiré ma demande d'exemption et je me suis mis en rang avec les autres.

Si elle continue d'agir comme ça, Missy Shoemaker ne se mariera probablement jamais.

★

Mademoiselle Thorvaldson ne se montre pas aussi chaleureuse à mon endroit que je l'avais espéré, de sorte que je m'efforce depuis quelques jours de l'apprivoiser à l'aide de compliments judicieux. J'essaie d'être particulièrement flatteur en ce qui concerne son apparence. Elle est toujours tirée à quatre épingles, donc c'est manifestement important à ses yeux, et comme les femmes corpulentes ne reçoivent presque jamais de compliments sur leur allure, j'étais sûr que cette stratégie me garantirait une place spéciale dans son cœur.

Je pensais que ça fonctionnait, en tout cas jusqu'à ce soir après la classe quand j'ai laissé tomber que je connaissais bon nombre d'hommes qui préféraient les femmes de taille forte. Mademoiselle Thorvaldson a eu l'air tellement stupéfaite par cette révélation que j'ai mis ma main sur la sienne en murmurant qu'elle pouvait laisser libre cours à ses émotions devant moi si elle en éprouvait le besoin. Elle a réagi en arrachant sa main de la mienne et en m'envoyant au bureau de la secrétaire.

J'espère que ceci n'effacera pas tout le capital de sympathie que j'ai bâti grâce à mes flatteries antérieures. Je n'arrive tout simplement pas à comprendre où j'ai échoué ! Peut-être est-ce la façon dont je lui ai livré ce compliment – c'est possible que je n'aie pas eu l'air sincère, puisque je ne connais pas vraiment d'hommes qui préfèrent les femmes fortes. Personnellement, je ne me sens pas le moindrement excité par elles, même si elles ont effectivement les plus grosses poitrines.

★

J'ai laissé un message à tante Maude pour lui demander conseil sur la façon de remettre sur les rails ma relation avec mademoiselle Thorvaldson. Ruth est trop susceptible pour que je fasse confiance à son opinion sur un sujet aussi délicat, et je sais très bien que, si je leur en parlais, mes parents trouveraient moyen de retourner mes propos contre moi.

★

J'ai participé à une manifestation avec Ruth en fin de semaine, parce que tante Maude travaillait en salle de chirurgie, et aussi parce que Ruth m'avait promis de m'acheter tous les hot-dogs de chez Monsieur Juteux que je serais capable de manger – et qu'il n'existe pas de meilleure saucisse fumée en ville. J'en ai engouffré quatre, puis j'ai déambulé jusque sur le parterre de l'Assemblée législative pour lancer des insultes aux membres du Parlement et à leur mère, puis je suis revenu chez Monsieur Juteux. Là, j'ai été interviewé par la splendide Lori Anderson, de la chaîne de télévision CTY, qui s'étonnait de voir un garçon de mon âge militer dans le mouvement des Femmes gaies pour la responsabilité sociale.

— Je suis fier de soutenir mes sœurs, lui ai-je répondu en plantant mon regard dans la caméra.

Puis j'ai brandi le poing en criant :

— À bas le gouvernement !

Mais je pense que la caméra ne filmait plus à ce moment-là.

★

Quelques jeunes de l'école ont vu mon interview à la télé avec la splendide Lori Anderson. Janine Schultz – qui a un énorme béguin pour moi et qui ferait pratiquement n'importe quoi pour gagner mon affection – a dit que j'avais très bien parlé. Lyle Filbender m'a traité de tapette. J'ai rétorqué que la tapette, ce n'était pas moi, mais lui, et là il s'est décrotté le nez par-dessus le marché. Il a dit que je sentais le derrière de cheval, et moi, je l'ai traité de face balafrée, et ça s'est poursuivi jusqu'à ce qu'il essaie de me poignarder dans le cou avec un crayon. Alors là, j'ai rapporté la situation à mademoiselle Thorvaldson, pour éviter que lui ou moi fassions quelque chose que nous aurions pu regretter. Mademoiselle Thorvaldson nous a gardés en retenue tous les deux et, plus tard, Lyle a collé une note sur mon casier qui disait : « TÉ MORT ! »

Il se pourrait que je demande à la secrétaire de l'école, Trish, de me laisser jeter un coup d'œil sur le dossier de Lyle. Aurait-il un passé violent ? Ça m'inquiète…

★

Après quatre journées complètes en chirurgie, ma tante Maude m'a finalement rappelé pour discuter de ma relation avec mademoiselle Thorvaldson. Je lui ai tout raconté : les gentils compliments que je lui ai faits et sa façon de réagir en m'engueulant sans raison valable.

— Selon toi, c'est quoi, son problème ? ai-je demandé.

— Je n'en ai pas la moindre idée, a répondu tante Maude. Tu étais sincère, pas vrai, en lui faisant tes compliments ? a-t-elle demandé avec anxiété.

— Mais bien sûr, ai-je répondu. Pour qui me prends-tu ? Pour une sorte de nigaud ?

Alors elle m'a dit qu'un petit geste qui soulignerait ma réelle affection pour mademoiselle Thorvaldson ferait sans doute merveille.

★

J'ai acheté pour mademoiselle Thorvaldson une belle carte qui porte l'inscription « Je pense à vous ». Dans une petite note à l'intérieur, je me suis excusé de tout malentendu qu'il pourrait y avoir entre nous. J'ai ensuite attaché la carte à la gigantesque dinde congelée que maman a achetée la semaine dernière et j'ai déposé tout ça dans une énorme boîte à cadeau. Comme je suis un authentique amateur de dinde, j'ai pensé que ce serait le gage de paix idéal : à la fois un délice et un symbole de mes sentiments à l'égard de mademoiselle Thorvaldson.

Plutôt que de lui donner le cadeau devant les yeux inquisiteurs de ces babouins que j'appelle mes camarades de classe, j'ai demandé à la secrétaire de l'école, Trish, de le lui livrer dans la salle du personnel. J'ai la certitude que cela arrangera les choses entre mon enseignante et moi.

★

Mademoiselle Thorvaldson a convoqué mes parents pour discuter de ce qu'elle appelle mon « comportement inconvenant ». Je ne peux pas voir à quoi elle fait allusion. La dernière fois que j'ai vérifié, aucune loi n'interdisait de donner des cadeaux aux enseignants, et si elle réfère à mes flatulences, eh bien, c'est un problème médical sur lequel je n'ai pas de maîtrise. Peut-être est-ce relié au fait que Trish, la secrétaire de l'école, a rapporté à mademoiselle Thorvaldson que je fixais toujours ses seins, bien que j'aie déjà fait mon possible pour mettre ce malentendu au clair. Je ne fixe pas les seins de Trish, mais bien les fascinantes coutures autour de ses poches de poitrine. Pour le prouver, j'ai même dit à mademoiselle Thorvaldson, cet après-midi :

— Elle a des seins, Trish ? Je n'avais pas remarqué.

Sur quoi elle m'a collé une autre retenue.

Je commence à me sentir très abattu par son attitude. Elle ne fait aucun effort pour en arriver à un compromis avec moi.

★

À cause de mademoiselle Thorvaldson, je vais devoir rencontrer la psychologue de l'école une fois par semaine pour discuter de mon comportement inconvenant en société ! Je suis humilié. J'ai peur de lui dire des sottises. Ce serait assez pour que je passe le reste de ma vie dans une institution de malheur.

Mon père croit que ma réaction est exagérée, ma mère pense que je devrais lui acheter une autre dinde avec l'argent de ma distribution de journaux, et John Michael me suggère de ne révéler aucun de mes sombres secrets à la psychologue, parce que, dans un film qu'il a déjà vu, on découvre, à la fin, que le psychologue est, en fait, le sbire malveillant de l'atroce vilain.

On verra bien, mais il va sans dire que ça ne m'intéresse plus d'améliorer mes relations avec mademoiselle Thorvaldson. Je suis certain qu'elle se réveille la nuit pour inventer des raisons de ne pas m'aimer.

★

Je suis encore dans l'eau bouillante avec Lyle Filbender. J'essaie de l'éviter depuis quelque temps, mais aujourd'hui, il m'a catapulté une gomme à effacer à la tête.

— Queue de crayon ! m'a-t-il chuchoté.

Alors, je l'ai rapporté à mademoiselle Thorvaldson, qui lui a ordonné de s'excuser.

Je me suis montré aussi magnanime que possible lorsqu'il a rampé vers moi comme le petit ver de terre qu'il est. Néanmoins, je peux affirmer que l'expérience l'a amené au comble de la frustration parce que, plus tard, quand je lui ai dit : « Mais à quoi t'attends-tu quand tu traites quelqu'un de *queue de crayon* ? », il a donné un coup de poing dans un casier et s'est éloigné à grands pas colériques.

Je ne peux pas croire que je suis le seul à voir une psychologue alors qu'on laisse quelqu'un comme Lyle Filbender errer dans les corridors en toute liberté. Il y a décidément des failles dans le système.

★

Ma psychologue s'avère être une jolie femme appelée docteure Anderson. Pendant notre première séance, elle m'a offert des caramels Kraft et a ri de quelques-unes de mes blagues. Difficile de supposer qu'elle soit le sbire malveillant de mademoiselle Thorvaldson.

★

Nous avons invité John Michael et sa famille à souper en fin de semaine et ça s'est passé très agréablement. Le rôti que ma mère avait préparé était un peu sec, et il aurait fallu plus de beurre dans les pommes de terre, mais madame Sweetgrass a apporté un plein plateau de profiteroles, ainsi que plusieurs tartes maison et un bol de crème fouettée rempli à ras bord. La vue de toutes ces délices m'a tellement bouleversé que j'en ai eu les larmes aux yeux. Lucy, la petite sœur de John Michael, l'a remarqué et elle m'a demandé si j'avais un bobo pour pleurer comme ça.

J'ai fait comme si je n'avais pas entendu, bien sûr. Je peux difficilement m'attendre à ce qu'une enfant de trois ans saisisse la complexité de mon paysage intérieur.

★

Monsieur Fitzgerald, mon patron du *Winnipeg Daily News,* a téléphoné aujourd'hui pour me demander si je flanquais le journal de notre voisin sur le boulevard devant sa maison. J'ai reconnu que je suis souvent trop épuisé pour me rendre jusqu'à la porte de façade de monsieur Miller, et je lui ai fait remarquer que tout homme raisonnable et bien constitué ne devrait avoir aucun problème à aller chercher le journal, où qu'il s'adonne à tomber quand je le lance.

— Cependant, je suis ouvert aux compromis, ai-je ajouté. Si monsieur Miller accepte de parcourir la moitié du chemin à l'avenir, je suis prêt à en faire autant.

Monsieur Fitzgerald a soufflé dans le téléphone pendant un moment, puis il a vociféré :

— Les compromis ne m'intéressent pas, garçon. Ton travail, c'est de livrer le journal à la porte. Est-ce clair ?

J'ai soupiré bruyamment pour qu'il comprenne bien qu'il me cassait les pieds, puis j'ai répondu :

— Bon. Comme vous voudrez.

Les compromis ne l'intéressent pas ? En voilà une attitude ! Non, franchement, monsieur Fitzgerald est un bien piètre modèle à imiter pour des jeunes de mon âge.

★

J'ai presque réussi à me soustraire à mon circuit de journaux ce matin. J'avais tout planifié. Quand ma mère est venue me réveiller, je suis tout simplement resté là, comme si j'étais évanoui. Après m'avoir brassé et crié mon nom pendant quelques minutes, elle a laissé tomber et a quitté la pièce. Agréablement surpris de sa crédulité, je me suis enfoui plus profondément sous ma confortable douillette de Star Wars, et je venais de replonger dans le sommeil quand elle a fait irruption dans la chambre. Allumant la lumière, elle m'a lancé à la tête une débarbouillette dégoulinante. J'ai bien failli m'étouffer et j'ai eu du mal à reprendre mon souffle. J'étais certain de faire une crise cardiaque !

— Dieu merci, tu es vivant ! s'est écriée ma mère.

Une fois revenu de mes émotions, je lui ai suggéré, non sans irritation, qu'elle vérifie d'abord mon pouls à l'avenir.

— Quelle bonne idée ! a-t-elle répondu en tirant ma douillette hors du lit. Et maintenant, debout ! Allez, hop !

En dépit de ce réveil brutal, j'ai livré tous mes journaux – même celui de monsieur Miller. Bien que je ne l'aie pas (techniquement) apporté jusqu'à sa boîte aux lettres, je me suis dit que le projeter dans la direction générale de sa porte de façade devrait faire l'affaire, à moins qu'il soit le genre à pinailler pour rien. Il y a des gens qui ne vivent que pour compliquer la vie des autres, vous savez.

★

Ma grand-mère a appelé, ce soir, pour passer un savon à mon père qui, presque six semaines après avoir commencé son travail, n'a pas encore réussi à réduire l'inventaire des toilettes lavande à un niveau gérable.

— Mais l'inventaire global a déjà baissé de près de seize pour cent, a-t-il protesté.

Elle a rétorqué que ça ne nous apporterait pas grande consolation lorsqu'il nous ferait tous aboutir à l'hospice pour n'avoir pas donné l'attention nécessaire aux toilettes lavande.

Après que mon père a eu raccroché, exaspéré, j'ai rappelé ma grand-mère pour la remercier d'avoir eu le courage de dire ce qu'il fallait. Elle m'a répondu que j'étais la prunelle de ses yeux et s'est demandé pourquoi certaines personnes ne comprennent pas qu'elle essaie seulement d'aider.

★

Félix, le prêteur sur gages, et Marv, le type de la station-service, sont allés voir mon père à la Maison des toilettes pour l'inviter à joindre leur association de commerçants : Les Affaires pour soutenir les affaires. La plupart des gérants de magasins des environs font partie de LAPSLA, dont le but est d'améliorer le climat dans les commerces locaux, soit par des projets d'amélioration communautaire où tout le monde met la main à la pâte, soit par du lobbying auprès de l'administration municipale pour obtenir des conditions favorables. Mon père est enchanté – encore plus que lorsqu'il avait été invité à joindre la Fraternité des professionnels des fruits et légumes quand il travaillait à la Grange aux aliments. Il commence vraiment à croire qu'il peut réussir à la Maison des Toilettes.

Moi, je réserve mon jugement : j'attends de voir comment il réglera le problème des toilettes lavande.

★

Aujourd'hui, à la Mission, Jerry m'a assigné au comptoir alimentaire. Je dois préparer les paniers de nourriture pour les gens éligibles à la bouffe gratuite toutes les deux semaines. Dans un panier de base, on trouve un produit contenant des nouilles sèches, des pâtes en conserve, une boîte de soupe et une autre contenant soit des fruits, soit des légumes. J'ai analysé un bon nombre de ces paniers et j'ai été abasourdi d'apprendre que certaines personnes recevaient des haricots de Lima ou des cœurs d'artichauts en guise de légumes.

— Quel genre de personne mange des haricots de Lima et des cœurs d'artichauts ? ai-je demandé.

— Le genre de personne qui n'a pas le choix, a répondu Jerry.

Quand je lui ai dit que je ne mangerais pas de haricots de Lima à moins d'avoir les pieds sur des charbons ardents, il a répliqué :

— Tu n'as pas idée de ce que tu mangerais si tu étais assez affamé.

Devinant qu'il était sur le point de se lancer dans un autre de ses sermons décousus sur les vicissitudes de la pauvreté, j'ai tenté de changer de sujet en lui demandant s'il faisait partie de LAPSLA. Il a répondu que non, et même que cet organisme est pour lui un problème épineux, puisque les membres semblent croire que la pauvreté nuit aux affaires.

Encore la pauvreté ! Ce gars-là en est obsédé, je vous le dis.

★

J'ai eu ma deuxième séance avec la docteure Anderson et je pense que les choses vont bien. Quand je lui ai confié que je ne pourrais pas lui révéler trop de mes sombres secrets puisqu'elle est le sbire malveillant de mademoiselle Thorvaldson, elle n'a pas paru s'en formaliser. À la fin de la rencontre, quand je l'ai complimentée sur son excellente façon d'aborder la psychologie, j'ai eu l'air de lui faire plaisir. Il faut croire que même les femmes intelligentes sont sensibles à la flatterie.

Par contre, j'ai eu plusieurs cours d'éducation à la vie familiale et ils ont été très décevants jusqu'ici. Monsieur Bennet, notre enseignant, passe son temps à répéter que la sexualité est bien plus que la notion de « pénis-dans-le-vagin ». La première fois qu'il a dit ça, je me suis écrié :

— Là-dessus, je suis entièrement d'accord !

Puis je me suis rendu compte qu'il parlait de la préparation émotionnelle, et non des préliminaires. Oh ! la barbe ! Dans une conversation privée, j'ai exprimé à monsieur Bennet mon inquiétude que les autres élèves se lassent de tout ce baratin concernant le respect de soi-même et des autres, et je lui ai laissé entendre qu'il suffirait d'une courte vidéo instructive pour mettre un peu de piment dans le cours. Mais il s'est mis à rire.

— Il y aura bien du temps pour tout ça, plus tard, a-t-il assuré.

Facile à dire pour un spécimen basané tout en muscles qui a probablement déjà eu de nombreux rapports sexuels. Moi, par contre, qui suis plutôt novice en la matière, j'aimerais bien qu'on me donne quelques conseils, si ce n'est pas trop demander au système d'éducation publique. Franchement ! Il y a des fois où je me demande pourquoi on paie de l'impôt !

★

Les choses commencent enfin à se réchauffer dans le cours d'éducation à la vie familiale. Aujourd'hui, les gars ont visionné une vidéo intitulée *Devenir un homme*. Le narrateur était un type moche appelé Randy qui portait un maillot à col roulé marron et un pantalon en tissu écossais. Il a parlé de masturbation et de rêves mouillés, et j'ai essayé de paraître intéressé (mais pas trop), certainement pas assez, en tout cas, pour que quiconque s'imagine que ces trucs-là s'appliquent à moi. Randy a également parlé des érections incontrôlables qu'on peut avoir et ça, ça me rend très nerveux. Ça me gênerait d'en avoir une devant madame Sweetgrass et, si jamais ça m'arrivait en présence de la docteure Anderson, elle me classerait parmi les déviants sexuels. J'espère que mon anxiété excessive ne me causera pas d'impuissance, un autre sujet que Randy a abordé.

Pendant que nous, les gars, nous regardions notre film, les filles visionnaient *C'est merveilleux d'être une femme* dans une autre salle. Plus tard, j'ai demandé en rigolant à Missy Shoemaker si le film comportait beaucoup de bonnes prises de nichons. Et là, elle a crié à tue-tête :

— NON, ÇA PARLAIT SURTOUT DE MENSTRUATIONS !

Alors je me suis bouché les oreilles à deux mains et je me suis précipité en dehors de la classe pour ne pas en entendre davantage.

Attendez une seconde.

— NON, JE NE VIENS PAS DE CRIER LE MOT MENSTRUATIONS, MAMAN. J'AI DIT *MEN'S STATION*. C'EST UN NOUVEAU POSTE DE RADIO QUE TOUS LES GARS ÉCOUTENT CES JOURS-CI... QUOI ? ... AM OU FM ? AUCUNE IDÉE... NON, JE NE SAIS PAS SI LE NOM DE L'ANIMATEUR EST K.O. TEX. OH... AH, AH, AH,... KOTEX ! TRÈS DRÔLE, MAMAN. POURRAIS-TU SEULEMENT ME FICHER LA PAIX, S'IL TE PLAÎT ?

Oh là là, c'est parfois tellement embarrassant de lui parler !

★

Je constate que les gens de la rue de Jerry ont la mémoire pas mal courte. Je leur sers encore de la soupe chaque semaine et ils ne me traitent pas du tout en héros. Samedi dernier, un gars qui portait un blouson de bûcheron et des bottines de travail me faisait la vie dure parce que je lui refusais un petit pain additionnel. Comme je lui rappelais que j'étais celui qui lui avait donné de l'argent quelque temps auparavant, il a seulement marmotté :

— Qu'est-ce tu as fait pour moi, récemment ?

Et il a encore une fois essayé de chiper un pain.

Plus tard, j'ai confié à Jerry que c'était justement parce qu'il y avait des gens comme lui que je ne n'avais pas de petits pains additionnels à distribuer à la ronde.

— S'ils manifestaient un peu plus de gratitude, les donateurs seraient peut-être plus enclins à leur en offrir un peu plus, ai-je déploré.

Jerry a répondu que les pauvres ne devraient pas avoir à se prosterner de gratitude pour pouvoir manger, et il m'a rappelé que toute personne avait droit à un peu de dignité personnelle. J'ai fait valoir qu'un estomac plein était plus important que la dignité personnelle, mais il a répliqué qu'il n'en était pas si sûr.

★

Daryl Flick, un ami de John Michael, voudrait qu'on sorte ensemble, tous les trois, vendredi soir. John Michael m'a tout raconté sur ce personnage assez particulier. Il attache ses longs cheveux noirs en queue de cheval et il a un cousin qui fait partie d'un gang. Je trouve ça fascinant, parce qu'il n'y a pas de gang à notre école – à moins qu'on ait envie de jouer à Butch Cassidy[2] avec les mioches de troisième année… et eux, ils ne consentent à laisser entrer un plus vieux dans leur gang que si celui-ci accepte le rôle du grand frère idiot d'un des jeunes bandits de huit ans. Vous imaginez bien que ça commande beaucoup moins de respect que de se tenir avec une personne apparentée à un corrompu qui fait partie d'un gang. J'espère seulement que Daryl Flick ne réussira pas à me convaincre de participer aux activités illégales de son cousin. Je suis certain que ma psychologue, la docteure Anderson, serait déçue de moi si j'étais impliqué dans un vol à main armée.

★

Comme prévu, j'ai passé la soirée d'hier avec Daryl Flick et John Michael. Daryl Flick

2. Butch Cassidy : célèbre pilleur de banques et de trains qui a sévi aux États-Unis à la fin du XIXe siècle, dont l'histoire servit d'inspiration à deux westerns : *Butch Cassidy et le Kid*, en 1969, et *Les joyeux débuts de Butch Cassidy et le Kid*, dix ans plus tard.

est exactement comme je l'avais imaginé : grossier, dévergondé et muni d'une langue acérée qui m'a attaqué à plusieurs reprises quand j'ai voulu passer mon bras autour de ses épaules en signe de camaraderie. On a rôdé plusieurs heures aux alentours du dépanneur, à se montrer agressifs envers les clients. Il va sans dire qu'on avait l'air extrêmement relax, et voilà sans doute pourquoi trois filles de l'école secondaire, vêtues de jeans serrés, ont décidé de traîner dans les environs. De ma voix la plus suave, je les ai félicitées de ne pas nous regarder de haut, les autres et moi, sous prétexte que nous avons seulement treize ans. Puis je me suis rapproché subrepticement de la svelte blonde aux yeux trop maquillés.

— Les femmes plus mûres m'ont toujours attiré, lui ai-je murmuré.

Là, elles sont reparties en courant et Daryl m'a traité de gros pas-de-tête. Quand je lui ai expliqué que ça me faisait de la peine de me faire crier des noms, il en a rajouté :

— Espèce de gros pas-de-tête !

— Pareillement ! ai-je répliqué.

Alors, il m'a arraché mon bandeau en ratine pour le flanquer dans la boîte à ordures.

Plus tard, on s'est retrouvés chez lui, mais je ne suis pas resté longtemps, parce qu'il n'y avait pas de place pour s'asseoir.

— Pourquoi tu ne t'installes pas là ? m'a demandé Daryl en désignant un vieux divan taché couvert de miettes de craquelins.

Je lui ai montré du doigt les sous-vêtements sales qui dépassaient entre deux coussins déformés et je lui ai indiqué que j'étais extrêmement dédaigneux du linge sale d'autrui.

— Oh, a dit Daryl, je comprends tout à fait.

Puis il a attendu que j'aie le dos tourné pour me faire tomber par terre et me passer les caleçons souillés sur la tête.

Si je continue à me tenir avec Daryl, j'ai bien peur de devenir moi-même un délinquant. Je développe déjà une attitude de voyou. Un exemple : quand je suis rentré à la maison et que ma mère m'a demandé si je m'étais amusé, je l'ai toisée avec mépris et j'ai grimpé l'escalier quatre à quatre. Plus tard, je suis redescendu pour manger des biscuits et boire du lait chaud, mais je pense qu'elle a parfaitement compris mon message initial.

★

Il pleuvait fort ce matin, et, sans faire exprès, j'ai laissé échapper plusieurs journaux dans une grosse mare de boue en essayant de sauter pardessus plutôt que de prendre la peine de la contourner. Malheureusement, monsieur Miller, qui est mon dernier client, s'est retrouvé avec un journal boueux. Je crois qu'il lui manquait aussi le cahier *Arts et spectacles,* parce que quand les journaux sont tombés, j'ai vu un de ces cahiers-là voler dans la rue et glisser sous les roues d'une voiture en mouvement. J'ai songé à aller le ramasser, mais il paraissait trop amoché. En outre, j'aurais pu être heurté par une voiture roulant en sens inverse et je pense pouvoir dire sans me tromper que personne n'aurait voulu que je coure ce risque.

★

Monsieur Fitzgerald m'a prévenu : s'il reçoit une seule autre plainte à mon sujet, je vais être dans le pétrin. Apparemment, son camelot-vedette est une fille de mon âge en quête d'un troisième circuit de distribution de journaux, de toute façon. Je suis certain qu'il parlait de Missy Shoemaker. Trois circuits ! Ce sont justement les filles de ce genre-là – celles qui essaient de faire mal paraître les gars – qui font que les filles paraissent mal. Demandez à n'importe qui.

★

Je continue à distribuer mes journaux et le temps refroidit. Ce sera l'Halloween très bientôt et, ensuite, il va commencer à neiger. Je ne pourrai plus supporter ça très longtemps. Je ne gagne qu'une vingtaine de dollars par semaine avant pourboires, et ceux-ci ne sont guère généreux.

Monsieur Miller a peut-être fait circuler des rumeurs à mon sujet.

★

Ce soir, après le souper, Ruth est venue faire un tour pour me proposer de participer à un marche-o-thon pour les mères célibataires prises au piège du bien-être social. Je lui ai demandé si elle allait encore m'acheter tous les hot-dogs de chez Monsieur Juteux que je pourrais manger.

— Tes hot-dogs m'ont coûté trente dollars au dernier ralliement, a-t-elle gémi. Tu ne penses pas qu'il vaudrait mieux donner cet argent à la cause ?

— Pas vraiment, ai-je répondu.

J'ai ajouté que si les hot-dogs ne faisaient pas partie du marché, je passerais mon tour, cette fois-ci. Comme elle manifestait sa déception, je lui ai dit :

— Que veux-tu ? Songe que, pour me récompenser d'avoir donné de l'argent aux gens de la rue de Jerry, j'ai droit à quatre mois de servitude forcée dans une vulgaire soupe populaire !

Je lui ai expliqué que cette expérience me laissait un arrière-goût amer et m'enlevait toute envie de m'impliquer dans les problèmes des autres.

— Mais bonne chance avec ton marche-o-thon ! ai-je crié dans son dos tandis qu'elle quittait la pièce à pas furieux pour aller rejoindre ma mère. Mes salutations à Monsieur Juteux.

★

Ce matin, quand je me suis arrêté au Blue Moon Café avant d'entreprendre mon circuit de journaux, j'ai rencontré deux danseuses exotiques du bar de l'hôtel Montgomery. J'ai compris qu'elles étaient danseuses exotiques en les écoutant parler. Après ça, impossible de ne pas les dévisager. Au début, elles ont fait semblant de ne pas me remarquer, mais je me suis alors présenté comme un journaliste de mode pour le magazine *Vogue* de Paris, et là, elles m'ont bombardé de questions : « Connais-tu Ralph Lauren ? » Ou « Quand penses-tu que les gauchos vont revenir à la mode ? » J'ai répondu à toutes leurs questions et puis, pour bien montrer que je venais d'un autre continent, je me suis penché et je leur ai baisé la main à toutes les deux.

Erreur fatale, cependant : les danseuses étaient assises près de la porte, qui s'est ouverte tout d'un coup pendant que j'étais penché… et j'ai volé tête première sur une table. J'étais tellement sidéré que je suis resté là en attendant que quelqu'un compose le 911. Comme aucune des personnes présentes ne le faisait, j'ai bondi sur mes pieds pour leur mettre sous le nez leur manque de compassion en me frappant de nouveau la tête contre la table. J'ai bien failli perdre connaissance.

Les danseuses – Honey et Penny – riaient pas mal trop fort, à mon avis, et même madame Sweetgrass souriait, mais elle, au moins, elle a eu la décence de me demander si j'allais bien. Puis, j'ai reconnu celui qui avait ouvert la porte de façon aussi inconsidérée : monsieur Miller ! Qui ne s'est même pas donné la peine de s'excuser.

— La prochaine fois, fais donc attention, s'est-il contenté de me dire, ajoutant que je ferais mieux de lui livrer son journal à l'heure.

Il va s'écouler un bon bout de temps avant que je ne remette les pieds au Blue Moon Café à titre de client. J'ai été humilié devant ces femmes ! Je ne suis pas quelqu'un de revanchard, d'habitude, mais j'ai décidé que monsieur Miller allait me payer cet affront-là. Un homme doit défendre son honneur, vous savez.

★

J'en ai parlé à John Michael et à Daryl Flick.

— L'occasion idéale pour attraper monsieur Miller, c'est le soir de l'Halloween, ont-ils affirmé.

— Faire un peu de grabuge à l'Halloween, c'est une tradition ! a expliqué Daryl. Les gens s'attendent à ça de la part de types dans notre genre.

Je lui ai demandé si nous pourrions y inclure des attaques diffamatoires contre la réputation de monsieur Miller.

— Oui, a-t-il répondu, et peut-être aussi de la crotte de chien dans sa boîte aux lettres.

Et on prétend que les jeunes d'aujourd'hui n'ont plus le sens des traditions !

★

Nous allons avoir une danse d'Halloween à l'école. Mademoiselle Thorvaldson et monsieur Bennet joueront les chaperons, et ils enverront une lettre d'invitation à tous les parents qui auraient envie d'y participer. Il va sans dire que je vais intercepter cette lettre et la déchirer en un million de petits morceaux avant d'y mettre le feu. Assister à ma première danse, voilà exactement la sorte de choses que mes parents seraient prêts à faire, parce que c'est leur mission dans la vie de me mettre dans l'embarras en rappelant au monde qu'ils existent.

Heureusement, la danse n'a pas lieu le soir même de l'Halloween. Rien ne nous empêchera donc de mener à bien nos plans concernant monsieur Miller, qui est toujours sur ma liste noire.

Hier matin, en allant chercher mes journaux, je suis tombé sur Honey et Penny.

— Planifies-tu un autre vol plané pour bientôt ? a demandé Honey.

Je ne comprenais pas de quoi elle parlait jusqu'à ce que Penny fasse mine de trébucher et de voler sur une table, et là, elle se sont mises à rire. J'ai gloussé moi aussi, parce que je ne voulais pas paraître inélégant, mais en dedans je bouillais comme un volcan en éruption. C'est évident que ces deux femmes-là ne me prennent plus au sérieux, et tout ça par la faute de monsieur Miller.

★

Mes parents ont décidé d'assister à la danse de l'Halloween. J'étais atterré quand ils m'ont appris la mauvaise nouvelle. Tel que planifié, j'avais détruit la lettre, mais mademoiselle Thorvaldson leur a apparemment téléphoné pour les inviter. J'aurais dû y penser ! Avec l'aide de ma belle psychologue, je fais mon possible pour surmonter mes sentiments négatifs envers mon enseignante, mais c'est évident que celle-ci n'en fait pas autant pour rendre les siens plus positifs à mon endroit.

Naturellement, j'ai supplié mes parents de ne pas venir. Ma mère a refusé, alléguant qu'elle et mon père aiment soutenir mes activités parascolaires.

— Bien des jeunes de ton âge souhaiteraient avoir des parents qui se soucient assez de leurs enfants pour s'investir de cette façon, a-t-elle ajouté.

— Nomme-m'en un seul, ai-je répliqué.

Sur quoi elle m'a envoyé dans ma chambre pour me punir de mon impolitesse.

Non, mais vraiment, ma mère devrait apprendre la différence entre impolitesse et honnêteté.

★

Janine Schultz s'est arrêtée à mon pupitre pendant le cours d'anglais, aujourd'hui, pour me demander si j'allais à la danse.

— Qui est-ce que ça intéresse? ai-je marmonné.

Puis, comme je ne savais pas quoi dire, j'ai feint d'ignorer sa présence… jusqu'à ce qu'elle s'en aille. J'étais plutôt content de la façon dont j'avais réglé la situation jusqu'à ce que Missy Shoemaker fasse une imitation de moi se languissant d'amour : les yeux croches et bavant d'admiration. Lyle Filbender a paru trouver ça très drôle, puisqu'il s'est mis à rire comme un fou jusqu'à ce que je le traite de face de pizza. Alors là, il m'a saisi par la chemise (ma plus belle chemise en velours) et il m'a brassé avec une telle violence que je n'ai eu d'autre choix que de le dénoncer à mademoiselle Thorvaldson.

Plus tard, j'ai dit à Missy Shoemaker qu'elle avait l'air très disgracieuse quand elle a fait cette imitation de moi et qu'aucun gars ne la regarderait deux fois si elle n'apprenait pas à se contrôler dans de telles situations. Alors, elle a agité son auriculaire vers moi, symbole universel d'un minuscule pénis tout flasque. Puis, en actionnant la pédale de la machine à coudre, elle a bien failli me coudre la main à son projet d'économie familiale.

C'est de loin la pire fille que je connaisse. Comme ses parents doivent être déçus d'elle !

★

Je vais me déguiser en médecin pour l'Halloween. Ma mère m'a prêté un vieux stéthoscope et un sarrau, et elle a persuadé mon père de se séparer temporairement de son sac de quilles bien-aimé pour m'équiper d'une trousse médicale convenable.

Je vais vous dire, je parais tellement bien que si je ne me destinais pas à devenir un riche *playboy*, je considérerais la possibilité de me faire guérisseur.

★

La danse a lieu demain et je répète mes mouvements devant le miroir, parce que c'est important que je fasse bonne impression. La première danse est celle qui donne le ton pour la suite des choses.

★

Je ne parle plus à mes parents parce qu'ils sont venus à la danse de mon école déguisés en Fred Astaire et Ginger Rogers[3] (je ne sais même pas qui sont ces personnages). Dès l'instant où ils se sont mis à valser autour du gymnase, j'ai essayé de m'enfuir hors de l'école, mais mademoiselle Thorvaldson avait déjà interrompu la musique, le temps de les présenter comme mes parents dans le haut-parleur, alors je n'avais aucune échappatoire. Comme si ce n'était pas assez de m'avoir mis dans l'embarras en dansant, ils se sont promenés dans la salle pour jaser et blaguer avec mes amis et mes enseignants.

À la fin de la soirée, Missy Shoemaker, dans son uniforme des Blue Bombers de Winnipeg, m'a claqué dans le dos en déclarant que mes parents étaient très chouettes, Lyle Filbender a déclaré qu'ils étaient délirants et mademoiselle Thorvaldson a promis de les inviter à toutes les activités sociales de l'école jusqu'à la fin des temps.

Ma vie est ruinée.

---

3. Fred Astaire et Ginger Rogers : couple de comédiens-danseurs américains célèbres qui ont tourné pas moins de dix films ensemble entre 1933 et 1949.

★

Ma mère vient de me demander pourquoi je suis aussi perturbé.

— Si tu ne le sais pas, ai-je répondu, la situation est encore plus grave que je pensais.

Une réponse comme celle-là devrait la maintenir aux aguets.

★

Ce soir, en me bordant dans mon lit, mon père m'a demandé si j'étais fâché parce qu'il avait dit à cette jeune personne déguisée en joueuse de football qu'il espérait que je serais assez chanceux pour épouser une fille gentille et intelligente comme elle un jour.

Comme je disais : ruinée !

★

Cet après-midi, tandis qu'on étudiait *Notre système solaire* dans le cours de science, Missy Shoemaker a chuchoté qu'elle ne m'épouserait pas, même si j'étais le dernier homme sur Terre. J'ai rétorqué que, si j'étais le dernier homme sur Terre, je n'aurais pas à me préoccuper de me marier parce que toutes les femelles vivantes voudraient avoir un morceau de moi. J'ai dit que je commencerais par celles avec les plus gros nichons et que je procéderais par ordre décroissant, et qu'elle pourrait donc espérer être convoquée dans environ cent millions d'années-lumière.

— Les années-lumière sont une mesure de distance, pas de temps, espèce de nigaud ! a-t-elle répliqué en roulant de grands yeux.

Mais j'ai bien vu que j'avais touché une corde sensible.

★

J'ai porté mon costume d'Halloween à la Mission de la Sainte Lumière, ce matin. Pendant que je versais la soupe, une petite vieille décharnée avec un tic dans un œil m'a appelé *Docteur* et m'a demandé de lui examiner le bras. Avant que j'aie pu lui japper l'ordre de filer son chemin, elle m'avait déjà flanqué dans la figure une gale couverte de pus.

— Ça fait des jours que je la gratte et ça sent bizarre ! a-t-elle gémi.

J'ai frémi d'horreur et j'ai couru me cacher derrière les femmes qui étaient à la cuisine, mais Jerry m'a retrouvé et m'a ramené à l'avant. Puis, il a délicatement conduit la dame à l'œil dansant au poste de premiers soins, où il lui a appliqué un antiseptique et un pansement propre avant de lui offrir de la conduire à une clinique sans rendez-vous, si elle le désirait.

En rentrant à la maison, j'ai confié à ma mère que mon travail à la Mission était beaucoup trop exigeant et que, si je ne sortais pas de là bientôt, cela risquait d'affecter mon habileté à repeupler la Terre à moi tout seul un jour.

Comme à son habitude, elle n'a pas pris mon inquiétude au sérieux. Et elle se demande pourquoi je suis fâché.

★

Ce soir, c'est l'Halloween et j'ai passé la journée à cueillir les crottes de chien que je déposerai dans la boîte aux lettres de monsieur Miller. Quand j'ai demandé à Daryl pourquoi c'était moi qui devais les ramasser, il a répondu :

— Il y a eu un vote et tu as été élu.

J'ai dû manquer cette réunion-là.

★

Ma revanche sur monsieur Miller ne s'est pas déroulée aussi bien que prévu en ce soir d'Halloween. C'est dommage, parce que la soirée avait commencé avec brio lorsque Lyle Filbender a bondi hors d'un bosquet pour m'attaquer. Je ne parlerais pas de brio, en temps normal, sauf que Lyle s'est aussitôt fait remettre la monnaie de sa pièce par John Michael qui lui a assené des coups de pied bien sentis et l'a aplati sur le trottoir. J'ai applaudi avec vigueur et là, Lyle s'est mis à crier qu'il allait me tuer.

— Arrête tes exagérations ! lui ai-je dit.

Puis je l'ai giflé en pleine face avec mon stéthoscope jusqu'à ce que je sente que la farce avait assez duré, puis je me suis poussé en courant jusqu'au coin de la rue d'où j'ai crié à John Michael :

— O.K., tu peux lâcher ce ver de terre pleurnichard.

Qui aurait cru qu'après avoir été humilié de cette façon Lyle Filbender me pourchasserait et qu'il essaierait bel et bien de me tuer ? Pas moi, bien sûr. Mais c'est exactement ce qu'il a fait quelques heures plus tard, tandis que John Michael, Daryl Flick et moi nous affairions à profaner silencieusement la propriété de monsieur Miller. John Michael, déguisé en Dolly Parton, venait de s'accroupir à côté de moi pour gribouiller des insultes sur le trottoir de mon voisin quand Lyle Filbender, sorti de nulle part, s'est lancé à l'assaut.

Tout est devenu flou après ça. Je me souviens de m'être relevé tant bien que mal et de la terreur qui m'habitait. Je me rappelle avoir crié au secours en courant en tous sens tandis que Lyle Filbender chargeait vers moi et que Dolly Parton chargeait vers lui. Puis je me rappelle avoir remarqué le gracieux gonflement dans le décolleté de Dolly et, dans l'instant qui a suivi, la grosse roche qui volait en ma direction. Elle a raté ma tête de peu pour aller s'écraser dans la fenêtre de monsieur Miller.

Après cela, on s'est dispersés dans toutes les directions. Une lumière s'est allumée sur le perron d'une maison, de l'autre côté de la rue, et une vieille dame est sortie pour voir ce qui se passait, mais il n'y avait déjà plus rien à voir, alors elle est rentrée chez elle. Je suis resté caché derrière un buisson pendant quelques minutes, puis je me suis glissé jusque chez moi. Là, j'ai fourré mon costume sous mon lit et j'ai dit à mes parents que j'étais à la maison depuis des heures, de façon à me forger un alibi.

★

Aujourd'hui, monsieur Miller est venu nous demander si quelqu'un savait quelque chose à propos de sa fenêtre brisée. J'ai dit non en essayant de garder mon visage aussi neutre que possible. Après son départ, j'ai parlé de *ce bon vieux monsieur Miller* pour montrer à mes parents que je ne lui gardais pas rancune.

Comme vous voyez, je suis en train de me construire une solide défense. J'imagine que je pourrais devenir un virtuose en matière de criminalité.

★

Daryl Flick a téléphoné aujourd'hui, et il était dans une colère terrible. Il m'a accusé d'avoir agi comme un gros imbécile, l'autre soir, affirmant que j'aurais pu nous entraîner dans de graves problèmes.

— Mais je n'ai absolument aucune idée de quoi tu parles, lui ai-je dit.

Il m'a alors fait remarquer que nous étions en train de vandaliser une propriété quand je me suis mis à crier au secours à pleins poumons en courant en rond comme une espèce d'idiot.

— Et c'est quoi le problème avec tes bras, au juste ? a-t-il demandé. Pourquoi est-ce qu'ils ballottent comme ça quand tu cours ?

J'ai expliqué que j'utilisais ce battement d'air breveté de façon à prendre mon élan pour mieux me propulser sur Lyle Filbender et le mettre en pièces de mes propres mains.

— Ouais, ouais, a dit Daryl. Et moi, j'ai trois testicules gauches.

Le veinard !

★

J'ai finalement découvert d'où provenait l'odeur putride qui empeste ma chambre depuis quatre jours. C'était un réel mystère jusqu'à ce que mon père mentionne, hier soir, qu'il commencerait bientôt à jouer aux quilles dans la ligue senior. Ce qui m'a soudain rappelé que, dans ma panique, le soir de l'Halloween, j'avais flanqué son sac de quilles sous mon lit. Il était encore plein des crottes de chien et des œufs pourris avec lesquels j'avais pensé garnir la boîte aux lettres de monsieur Miller.

J'ai réussi à enlever les plus gros morceaux de coquille et d'excréments à l'aide d'une des spatules de ma mère, mais je ne sais pas comment je vais pouvoir éliminer les éclaboussures et la puanteur. J'essaierai peut-être sa lime à ongles ou son parfum Chanel. On verra. Une seule chose est certaine pour le moment : ça ne sert à rien d'essayer d'acheter un autre sac pour le remplacer. Celui-ci est en cuir véritable et il porte les mots *Fierté de la Saskatchewan* cousus sur un des côtés en lettres dorées de fantaisie. Des sacs de quilles comme celui-là ne poussent pas dans les arbres, vous savez.

★

Lyle Filbender ne m'a pas adressé une seule parole à l'école, mais si c'est sa façon d'essayer d'être gentil pour que je ne le dénonce pas, il ne perd rien pour attendre. J'ai décidé que je vais chanter comme un canari si on m'attrape. De toute manière, je sais que je craquerais sous l'interrogatoire.

★

Ce soir pendant le souper, on a sonné à la porte. C'était encore monsieur Miller, mais cette fois il apportait des photos que la dame de l'autre côté de la rue avait prises de sa fenêtre, la nuit de l'Halloween. Apparemment, elle avait craint que de jeunes punks fassent des mauvais coups ce soir-là et, comme elle fait partie du groupe de surveillance du voisinage, elle s'était assise dans le noir avec son appareil photo, comme une désaxée, et elle avait attendu de les prendre sur le fait.

Malheureusement, la vieille chauve-souris a parfaitement croqué Dolly Parton qui essayait de désarmer Lyle Filbender au moment où celui-ci s'efforçait de m'étrangler avec mon propre stéthoscope. J'étais bien décidé à jouer la partie innocente faussement accusée jusqu'à ce que je remarque l'expression diabolique de ma mère et là, j'ai senti que mon plan d'action le plus sécuritaire serait une confession rapide dans l'espoir de récolter des points pour mon honnêteté. J'ai donc tout avoué en insistant sur le fait que John Michael, Daryl Flick et moi n'avions l'intention que de jouer des tours pendables enfantins et futiles, tandis que Lyle Filbender, lui, préméditait vraiment des actions malveillantes.

— Encore chanceux qu'il ait frappé la fenêtre et raté sa vraie cible – c'est-à-dire ma tête –, parce que sinon, il serait question de meurtre ! ai-je conclu avec gravité.

Je m'attendais à voir mes parents éclater en sanglots à l'idée que leur unique enfant aurait pu mourir, mais ils n'ont même pas reniflé, alors je me suis empressé d'ajouter qu'en plus d'avoir essayé de me tuer, Lyle Filbender, un peu plus tôt ce soir-là, avait flanqué sur le trottoir une bonne partie de mes bonbons d'Halloween.

— Alors vous voyez, dans un sens, une part de ma propriété personnelle a été détruite, également, ai-je dit. N'est-ce pas là une punition suffisante ?

Je pensais tenir un excellent argument, mais la grosse veine sur le front de ma mère avait commencé à enfler, alors j'ai laissé tomber.

S'il y a bien une chose que j'ai apprise, c'est de savoir quand battre en retraite.

★

Mes parents ont rencontré les parents de mes complices, et Daryl Flick et Lyle Filbender – le croirez-vous ? – s'en sont tirés sans conséquences. Ce qu'il y a de plus choquant, c'est que les parents de Lyle Filbender sont des citoyens très comme il faut. Son père est un podiatre qui a son bureau dans le petit centre commercial du quartier et il fait partie de LAPSLA, et sa mère est une simple ménagère, comme dans le bon vieux temps. Elle a même apporté des biscuits aux brisures de chocolat frais sortis du four au colloque des punitions. Ironiquement, je pense que ma mère bénéficierait des conseils de madame Filbender, même si je me suis gardé de le lui mentionner. Ma mère réagit rarement bien aux critiques constructives.

En tout cas, Lyle a juré que ça ne pouvait pas être lui sur le cliché, puisqu'il jouait aux arcades avec Daryl au moment où la photo avait été prise. Daryl a confirmé son alibi, qui lui en fournissait un par le fait même. Comme les parents de Lyle avaient l'air satisfaits de cette explication ridicule, et que la mère de Daryl brillait par son absence, tout le poids de la faute est retombé sur John Michael et moi. Et maintenant, lui et moi allons devoir nettoyer le sous-sol de monsieur Miller et nous serons privés de sortie pour trois semaines, sauf pour le travail et le bénévolat. Le seul rayon de lumière dans cette noirceur, c'est que nos parents ont convenu de partager le coût de la franchise pour la réparation de la fenêtre plutôt que de nous faire porter ce fardeau-là, également.

En allant me coucher, j'ai remercié mes parents de m'avoir témoigné ce petit peu de compassion et je les ai complimentés sur l'élégance avec laquelle ils acceptaient le prix de leur inaptitude parentale. Ma mère m'a répliqué sèchement que j'étais chanceux qu'ils ne croient pas aux punitions corporelles parce que, si ça avait été le cas, elle m'aurait administré une bastonnade en règle. Je l'ai félicitée pour sa politique d'absence d'abus physique à mon endroit, mais je lui ai fait remarquer que même la menace de la violence physique pouvait marquer un enfant du point de vue émotif.

— As-tu l'intention de m'apporter du lait chaud au lit ? lui ai-je alors demandé.

Elle m'a répondu que non.

Eh bien, j'aurai au moins essayé.

★

John Michael et moi avons nettoyé le sous-sol de monsieur Miller cet après-midi. C'était dégueulasse. Son égout a débordé au printemps et il n'avait pas remis les pieds dans son sous-sol depuis. J'y ai jeté un coup d'œil et je suis aussitôt retourné chez moi pour enfiler un équipement sanitaire me couvrant de la tête aux pieds : masque, blouse de laboratoire et gants de latex empruntés à la trousse d'infirmière en santé publique de ma mère. Monsieur Miller a paru offensé quand je suis revenu chez lui vêtu comme un scientifique sorti d'un laboratoire bactériologique, mais je ne voulais pas risquer d'attraper une maladie infâme rien que pour ménager sa délicate susceptibilité.

Il va sans dire que nous avons travaillé comme des esclaves et que monsieur Miller ne nous a pas offert de rafraîchissements. En fait, quand je lui ai suggéré d'aller faire un tour au marché pour acheter quelques berlingots de lait, il m'a fusillé du regard en m'ordonnant de quitter la salle de bains.

Monsieur Miller doit être confronté à pas mal de problèmes non résolus. Il y a visiblement quelque chose qui le ronge par en dedans.

★

Je suis privé de télévision pour une semaine parce que mon père a découvert les œufs pourris et les excréments de chien qui adhéraient aux parois intérieures de son sac de quilles à l'emblème de la Fierté de la Saskatchewan. Il n'arrêtait pas d'avoir des haut-le-cœur tellement ça l'affectait. Comme je sentais que les choses allaient mal pour moi encore une fois, j'ai rapidement avoué avoir vu Lyle Filbender, armé d'une bêche, suivre des chiens errants autour du parc. Je me suis excusé de l'avoir laissé mettre de la crotte dans ma trousse médicale à mon insu. Malheureusement, ma mère ne m'a pas cru une minute. Elle a déclaré que ce que j'avais fait était mal et dégueulasse et que le pire, dans tout ça, c'est que j'avais menti.

— Ce n'est pas à toi que je parlais, ai-je glapi en lui jetant un regard mauvais.

Et c'est là qu'elle m'a retiré mes privilèges de télévision.

Je pense que ma mère devrait apprendre à se la fermer quand les gens ne s'adressent pas à elle. Peut-être vais-je le lui faire remarquer si je trouve la bonne façon de m'exprimer.

Comme vous l'avez constaté, elle sort parfois de ses gonds pour des éléments de sémantique.

★

Aujourd'hui, tandis qu'on attendait dans le corridor de l'école, Missy Shoemaker m'a confié que monsieur Fitzgerald lui avait annoncé que monsieur Miller voulait un nouveau livreur de journal. Elle a dit qu'elle savait tout de ma petite frasque de l'Halloween.

— Vas-tu finir par te décider à grandir, un jour ? m'a-t-elle demandé.

— Je n'en sais rien, lui ai-je répondu. Et toi, vas-tu te décider à te faire pousser des seins ?

Elle m'a traité d'ignorant et j'ai répliqué en l'appelant Présidente du comité des mininichons. Elle a ri et m'a invité à faire preuve de plus d'imagination, et là, j'ai lancé ma gomme à effacer qui a frappé son sein gauche sous-développé.

C'est alors qu'elle a bondi comme si je lui avais arraché un œil ! Les bras en l'air, elle a jeté les hauts cris et s'est précipitée dans la salle de classe. Et je me suis retrouvé, tambour battant, devant mademoiselle Thorvaldson, pour subir un long sermon assommant sur l'importance du respect mutuel de notre corps. Quand elle a eu terminé, je lui ai expliqué que Missy Shoemaker avait insinué que je manquais d'imagination et je lui ai suggéré de sermonner Missy sur l'importance du respect mutuel de nos sentiments, ce qui m'a valu une retenue.

Plus tard, j'ai été tenté de faire une autre remarque blessante à Missy Shoemaker sur les lacunes de son décolleté, mais j'ai résisté. Mademoiselle Thorvaldson a manifestement un faible pour elle et sa poitrine bourgeonnante. Quoi d'autre pourrait expliquer cette réaction démesurée ?

★

J'ai téléphoné à monsieur Fitzgerald pour vérifier si ce que Missy Shoemaker m'avait appris au sujet de monsieur Miller était exact, et monsieur Fitzgerald m'a confirmé que mon voisin avait exigé un nouveau camelot.

— Moi aussi, j'ai entendu parler de ta petite frasque, le jeune, a-t-il ronchonné. Alors, autant te faire à l'idée que tu es en probation.

En probation ! Pas besoin de dire que j'étais choqué. J'ai demandé à monsieur Fitzgerald de m'expliquer le processus qui avait déterminé mon statut probationnaire.

— Le processus, c'est que j'en ai décidé ainsi, a-t-il déclaré.

Je lui ai dit que la méthode ne me paraissait pas très objective. Je lui ai fait remarquer que c'était quasiment antidémocratique, tout en adoucissant mon commentaire en ajoutant :

— Mais je suis certain que vous ne vouliez pas donner l'impression d'être un dictateur fasciste.

Je doute qu'il ait été très adouci, cependant, parce qu'il semblait pas mal grognon quand il a raccroché.

En conséquence, je vais me montrer très glacial envers monsieur Miller désormais, parce que je considère que c'est sa faute si je suis en probation. Il n'avait pas la moindre raison de demander un nouveau livreur – il n'y a aucun lien avec sa fenêtre fracassée et la livraison de son journal, et ça fait plusieurs jours que je lui accorde un service à la clientèle de haut niveau. C'est évident qu'il a téléphoné à monsieur Fitzgerald pour se venger, et moi j'ai horreur des rancuniers.

Cassette n° 2

J'ai demandé au deuxième Roi mage de cracher sur la Vierge Marie à la prochaine répétition, pour me rendre service, mais il a refusé.

Et moi qui pensais que nous étions amis...

Les membres de LAPSLA ont tenu un ralliement pour l'amélioration de la communauté, ce soir. L'objectif était de nettoyer le terrain vague adjacent à la Mission de la Sainte Lumière. Ce terrain, situé juste en face de la station-service de Marv, est un véritable boulet pour celui-ci. Il a l'impression que la vue de ces déchets et de ces graffitis fait fuir la clientèle payante. En outre, c'est le grand lieu de rassemblement des jeunes *squeegees* du boulevard, qui lavent les pare-brise des voitures arrêtées au feu rouge.

— Qu'est-ce que tu as contre les pare-brise propres, Marv? ai-je demandé tandis qu'on lançait dans le bac de recyclage les cannettes qu'on avait ramassées.

— Ces jeunes-là embêtent les gens avec leur manie de les culpabiliser pour leur soutirer une piastre, a-t-il grogné.

Je lui ai fait remarquer qu'un dollar me semblait un juste prix pour un pare-brise reluisant, mais il m'a fusillé du regard et il est allé aider monsieur Filbender à transporter un matelas brûlé. J'ai attrapé deux autres hot-dogs gratuits de chez Monsieur Juteux et j'ai déambulé jusqu'à mon père pour lui rapporter ma conversation avec Marv.

— Il ne faudrait surtout pas que LAPSLA apprenne que tu gardes une boîte de fer-blanc pleine de menue monnaie dans la voiture, ai-je chuchoté.

Mon père a reconnu que cela pourrait en effet ternir son image de membre de LAPSLA s'il était vu en train de soutenir les jeunes laveurs de pare-brise, et il m'a demandé si je ne pourrais pas leur distribuer la monnaie à sa place.

Je lui ai dit qu'il n'en était pas question.

— Ce n'est pas mon problème si tu n'as pas le courage de tes convictions, ai-je dit.

Sur ces entrefaites, je lui ai demandé un peu d'argent, car la voiturette de crème glacée Dickie Dee s'est pointée, et leurs *popsicles* sont tout simplement divins.

— Je ne pense pas pouvoir me passer de cette monnaie, a-t-il marmonné en me coulant un regard acide.

Non, mais, le croirez-vous ? Plein de menue monnaie pour les étrangers qui ont faim et froid, mais pas un rond pour que son propre fils achète un *popsicle* Dickie Dee. Je pense vraiment que mon père doit revoir sa liste de priorités.

★

Ce matin, avant mon départ pour l'école, ma grand-mère a téléphoné pour transmettre à mon père ses premiers mots d'encouragement – tièdes, cependant. Monsieur Filbender lui avait téléphoné pour lui parler du ralliement et elle était contente de voir mon père redresser sa liste de priorités. Jusque-là, je m'étais contenté d'écouter sans faire de bruit sur le sans-fil, mais quand elle a dit ça, j'ai crié : « Non, mais, tu veux rire ! » et j'ai tenté de lui expliquer qu'il avait refusé de m'acheter un *popsicle* Dickie Dee. Malheureusement, ma mère a fait irruption dans ma chambre et m'a arraché le téléphone des mains avant que je puisse terminer mon explication. J'étais sur le point de servir à ma mère un sermon sur le non-respect de ma vie privée quand elle a soudain remarqué l'état d'usure avancé de mon caleçon et m'a demandé depuis combien de temps je ne l'avais pas changé. Sa question m'a laissé très déconfit – puisque je n'en avais pas la moindre idée – et ça lui a permis de me servir une tirade abrutissante sur l'importance de l'hygiène personnelle et de quitter la pièce avant que je puisse trouver la repartie polissonne qui aurait convenu.

Pour cette seule raison, il est possible que je ne change jamais plus de sous-vêtements de toute ma vie.

★

Ce matin, à la soupe populaire, j'ai demandé à Jerry ce qu'il pensait du ralliement de LAPSLA de jeudi soir dernier. Il m'a répondu que de faire du ménage dans le voisinage était toujours quelque chose de positif. Ce qui le désole, c'est que les membres de LAPSLA blâment la Mission pour l'état du terrain vague.

— Ce terrain n'appartient pas à la Mission, a-t-il fait remarquer. Et un grand nombre de gens qui y jettent leurs ordures n'ont absolument rien à voir avec nous.

Là, je l'ai encouragé à m'en dire davantage en me calant plus profondément dans mon attitude décontractée, mais il m'a dit de cesser de fainéanter et de me remettre à l'ouvrage.

— Ça fait mal, ça, ai-je dit. L'esprit a aussi besoin de se nourrir, ai-je ajouté, mais il était déjà loin.

Vers la fin de mon quart de travail au comptoir alimentaire, Honey – une des danseuses exotiques du Montgomery – est venue se procurer une boîte de nourriture destinée aux familles monoparentales, de la préparation lactée pour bébé et des couches. Après avoir rangé tout ça à l'arrière de sa poussette chambranlante, elle m'a présenté à sa fille, Bella. La petite Bella a manifestement senti que je n'avais pas grand-chose à cirer des bébés parce que, quand je me suis penché pour la chatouiller distraitement sous le menton, elle m'a attrapé par les cheveux et s'est mise à tirer de toutes ses forces. Je ne comprends pas pourquoi, mais les autres mères qui attendaient leur tour ont eu l'air de trouver hilarant de me voir ainsi souffrir le martyre. Ça leur a pris un bon moment avant de cesser de rire assez longtemps pour me délivrer de la poigne de fer de Bella.

Dès que l'ordre a été revenu, j'ai couru raconter à Jerry ce qui venait de m'arriver, lui faisant part de mon étonnement : comment Bella avait-elle pu s'agripper si fermement à mes cheveux, malgré tout le gel gominant que j'y avais mis ? Je lui ai demandé si je pouvais partir plus tôt à cause du mal de tête lancinant dont je souffrais par la faute de ce bébé ingrat. Après avoir examiné mon cuir chevelu à la recherche de plaques chauves, Jerry m'a assuré que je survivrais et m'a sommé de sortir les ordures avant de retourner à mon poste de travail.

En parlant d'ingratitude…

★

J'ai discuté avec Ruth du cas d'Honey, qui, pour joindre les deux bouts, se déshabille devant des inconnus pervers le soir et cueille des biens de première nécessité à la Mission la fin de semaine.

— Ne crois-tu pas que cette femme démontre parfaitement comment des mères célibataires non éduquées peuvent éviter de dépendre entièrement de notre système de bien-être social ultra-sympathique si elles le veulent vraiment ?

Ruth m'a invité à enlever mes ornières.

— La seule chose que démontre cette femme, a répondu Ruth, c'est à quel point les choix sont limités pour certaines personnes.

Je me demande si la tasse de Ruth est jamais à moitié pleine.

★

Monsieur Bennet consacre désormais une partie du cours d'éducation à la vie familiale à une foire aux questions embarrassantes – anonymes – que les élèves déposent subrepticement dans une boîte à l'avant de la classe.

Le système est excellent, mais hier, Missy Shoemaker en a enfreint toutes les règles : elle a dit qu'elle n'avait pas besoin de mettre ses questions dans la boîte, et elle a demandé de but en blanc quelle était la longueur moyenne d'un pénis humain. Mon Dieu ! Je n'en croyais pas mes oreilles ! Elle a dit « pénis » devant monsieur Bennet ! Bien sûr, je me suis mis à rigoler nerveusement – à quoi s'attendre quand quelqu'un dit « pénis » en présence de personnes des deux sexes ? Missy m'a regardé en pleine face et elle a dit :

— Je ne rirais pas trop fort si j'étais toi, parce que le tien ne doit même pas mesurer cinq centimètres.

Sa remarque a fait rire tout le monde. J'étais extrêmement offensé et j'ai regardé monsieur Bennet, espérant son soutien – parce que je pense qu'une femme ne devrait jamais avoir le droit d'insulter un homme sur sa virilité –, mais il s'est contenté de répondre à sa question :

— La longueur moyenne est de douze centimètres et demi en érection, a-t-il expliqué. Mais ne vous inquiétez pas : un peu plus ou un peu moins, ça reste parfaitement normal. Du reste, dans une relation amoureuse, des choses comme celles-là ne comptent pas.

Je me suis mis à rigoler de plus belle, parce que je ne trouvais aucune autre façon de réagir, mais ça m'a fait réfléchir. J'ai donc décidé de mesurer mon propre équipement.

Attendez une seconde que je dépose le magnétophone. Je vais avoir besoin de mes deux mains pour ceci…

… AHHHH ! TU NE POURRAIS PAS COGNER AVANT D'ENTRER, MAMAN ? *MON DIEU !* C'EST TELLEMENT EMBARRASSANT ! AUCUNE IMPORTANCE, CE QUE JE SUIS EN TRAIN DE FAIRE – JE ME

GRATTE, SI TU VEUX VRAIMENT LE SAVOIR ! OUI, J'UTILISE UNE RÈGLE POUR ME GRATTER. ÇA ME DÉMANGE VRAIMENT, VRAIMENT BEAUCOUP, VOILÀ POURQUOI ! QUOI ? BIEN SÛR, JE VAIS FAIRE ATTENTION – JE SAIS QUE CE SONT DES ORGANES EXTERNES, MAMAN ! MON DIEU ! VOUDRAIS-TU SEULEMENT FICHER LE CAMP D'ICI ET ME LAISSER TOUT SEUL, S'IL TE PLAÎT ?

Je vais devoir réessayer plus tard. Mon équipement s'est tellement rétracté qu'il doit être rendu quelque part autour de mes amygdales. Ça va prendre des heures avant que je puisse obtenir une mesure exacte.

★

Je l'ai mesuré de nouveau – cette fois dans la salle de bains, porte verrouillée –, et, horreur ! j'ai découvert qu'il n'avait que cinq centimètres de long ! Comment Missy Shoemaker pouvait-elle le savoir ? Je vais vérifier la salle des casiers des garçons. Peut-être qu'elle a percé un trou dans le mur. Ça ne me surprendrait pas – comme je le disais, c'est une jeune femme très vulgaire.

Quoi qu'il en soit, étant donné la moyenne de douze centimètres et demi, il est compréhensible que cette découverte m'inquiète. Ne serait-ce pas ironique si en fin de compte j'avais une déformation dans cette région-là, alors que je suis un excellent spécimen pour tout le reste ? Ne devrais-je pas consulter un spécialiste ?

★

Pendant le souper, hier soir, j'ai déclaré que je voulais voir un spécialiste. Quand mes parents m'ont demandé quelle sorte de spécialiste, je leur ai dit que c'était un sujet intime et qu'ils devraient se mêler de leurs affaires et cesser d'essayer de m'embarrasser.

— Es-tu malade ? a demandé ma mère avec une expression inquiète.

— Non, ai-je répondu froidement. Mais il est possible que je souffre d'une sorte de déformation génétique.

Je fixais mon père droit dans les yeux en disant ça, en espérant qu'ils saisiraient tous les deux l'allusion.

— Oubliez ça ! ai-je marmonné en voyant qu'ils ne comprenaient pas.

Et je suis sorti en trombe pour monter à ma chambre. J'étais très vexé.

Et si je souffrais vraiment d'une déformation génétique ? Je pense que je vais essayer de lorgner mon père pendant qu'il se change, sans que ça paraisse. C'est peut-être lui qui m'a transmis ses carences.

★

Ce soir, j'ai buté contre mon père qui se préparait à se coucher. Il n'avait que son haut de pyjama à rayures et il manquait tout à fait de dignité. Je trouve difficile à croire que ma mère puisse le prendre au sérieux comme amant. Lorsque je deviendrai amant, je porterai des pyjamas de satin noir et je garderai du champagne au frais à mon chevet en tout temps.

Quoi qu'il en soit, j'ai reluqué son appareil et il me paraît un petit peu sous la moyenne, mais certainement plus long que cinq centimètres. Eh bien, voilà ma théorie de l'hérédité qui fout le camp. Flûte, alors !

★

Aujourd'hui nous avions une suppléante pour le cours d'histoire du Canada. Elle avait une chevelure rousse bouffante et une silhouette à couper le souffle, et je me suis soudain senti envahi par un désir brûlant d'en apprendre davantage sur ce grand pays qui est le nôtre, et aussi de regarder dans le creux de sa blouse. Je suis allé à son bureau bon nombre de fois pour lui poser des questions et mes efforts n'ont pas été vains, parce que, à la toute fin de la période, tandis qu'elle expliquait quelque chose au sujet d'un événement quelconque, sa blouse blanche ondulée s'est entrouverte un petit moment et j'ai attrapé une vue en plongée de son soutien-gorge en dentelle coquille d'œuf.

J'ai lancé aux gars de la classe un double signe de victoire avec mes deux pouces et ils ont fait quelques grimaces sensuelles en guise de réponse. Je me réjouissais vraiment de mon moment de gloire quand j'ai commencé à sentir du tiraillement au sud de la frontière. Bien que ce signe indiscutable de ma puberté imminente ait piqué ma curiosité, je me sentais surtout absolument frénétique.

— Ça y est, j'ai compris ! ai-je annoncé à la suppléante en lui arrachant le livre des mains et en m'en servant pour couvrir mes parties privées tout en filant à ma place.

Ma première érection spontanée en public ! Wow ! Je ne peux pas me rappeler un événement plus excitant dans toute l'histoire du Canada.

★

Aucun spécialiste en ville ne veut me donner de rendez-vous sans que je sois référé, alors, cet après-midi, je me suis rendu à une clinique sans rendez-vous pour consulter un docteur sur mon problème de cinq centimètres. Il m'a assuré qu'il me pousserait probablement une « bonne grosse saucisse » une fois la puberté venue. Il m'a dit, également, qu'à l'avenir je ferais mieux d'attendre que le médecin me le demande plutôt que de prendre moi-même l'initiative de me déshabiller. Apparemment, le choc d'avoir trouvé un petit adolescent tout nu dans sa salle d'examen, sans avertissement, a failli être fatal pour son vieux cœur.

★

Comme je ne suis plus en punition pour le fiasco chez monsieur Miller, mes parents ont décidé de me confier la maison, samedi soir. Ils disent que je suis en train de devenir un jeune adulte et qu'il est temps que ça se reflète dans le type de privilèges qu'ils me donnent. Je suis entièrement d'accord avec eux, et j'ai décidé de faire venir en secret John Michael et Daryl Flick pour passer la soirée. Nous allons regarder de la télévision insipide, nous raconter des blagues de mauvais goût et peut-être même faire venir de quoi manger. J'ai tellement hâte !

★

On a eu un plaisir fou, samedi soir, et mes parents n'ont jamais rien soupçonné. Je me tourmente bien un peu à l'idée d'avoir abusé de leur confiance, mais mes remords s'apaisent quand je me rappelle que tout cela fait partie de la croissance.

Les mecs sont arrivés tout juste après que mes parents ont eu quitté la maison pour la soirée. On a regardé *La croisière s'amuse* et on a échangé des commentaires grossiers sur

Julie, la directrice de croisière, jusqu'à ce que Daryl sorte des *capotes*. Elles étaient striées, aromatisées – et même phosphorescentes ! J'essayais d'imaginer quelle sorte de pervers se lancerait dans ce genre de commerce olé olé quand je me suis rendu compte que la capote que j'avais dans les mains était visqueuse. Craignant le pire, j'ai poussé un cri d'horreur et je l'ai jetée à travers la pièce. Quand il a arrêté de rire, Daryl m'a expliqué :

— C'est lubrifié, espèce de grand *nono*, pas usagé.

Je n'ai pas pu m'empêcher de penser que c'est le genre de détails que monsieur Bennet devrait nous donner, plutôt que de nous rabâcher son baratin sur le fait qu'on peut être une machine à faire l'amour même avec un zizi de cinq centimètres.

En tout cas, après avoir ouvert tous les petits emballages, on a enroulé des condoms autour de divers aliments du bac à légumes et on en a rempli d'autres au robinet jusqu'à ce qu'ils éclatent en mouillant le plancher de la cuisine. Ensuite, on a fait un concours de rots et Daryl nous a enseigné comment produire des bruits de pets par-dessous les bras, puis on a vidé une pleine boîte de gâteaux glacés à la noix de coco. Les copains sont repartis peu avant le retour de mes parents et, en regardant Daryl uriner contre le chêne devant la maison, je pensais à la soirée formidable qu'on avait passée en me disant qu'on était des vrais gars.

★

Mon père m'a demandé en privé si j'avais fouillé dans sa table de chevet dernièrement.

— Bien sûr que non, ai-je répondu, tout en me demandant pourquoi il me posait la question.

Il m'a confié qu'il lui manquait un certain nombre de condoms et qu'il n'avait aucune idée de l'endroit où ils étaient. Là, il m'a regardé, puis il m'a dit :

— Il n'y a rien de mal à être curieux, fiston, mais prendre les condoms d'un autre gars, c'est comme porter son *jockstrap* sans sa permission.

Là, je lui ai dit que je devais sortir de la pièce parce que je pensais que j'allais dégobiller.

Plus tard, en soupant, ma mère a fait son exposé d'infirmière en santé publique sur la sexualité sans risque et sur l'importance d'utiliser les prophylactiques pour prévenir les maladies transmises sexuellement. Elle a prétendu qu'elle disait ça juste comme ça, pour meubler la conversation, mais je sentais bien que ses propos me ciblaient directement, alors je l'ai coupée sèchement :

— Je pense que c'est plutôt inconvenant de parler de maladies vénériennes pendant qu'on mange du blé d'Inde en crème, pas toi ?

Je suis mortifié. Je suis sûr que Daryl Flick a volé les *capotes* dans la table de chevet de mon père – sans doute quand il s'est éclipsé pour aller aux toilettes. Mon Dieu ! Ça veut dire que j'ai joué avec les prophylactiques de mes propres parents !

Je vais tuer Daryl Flick pour ça.

★

Ma mère a trouvé une *capote* sous le sofa en passant l'aspirateur – sans doute celle que j'avais propulsée à travers la pièce en pensant qu'elle était usagée. Mais bien sûr, j'ai nié savoir ce qu'elle pouvait faire là. J'ai plutôt adopté une ligne offensive, en criant :

— Ne me blâme pas !

Et je lui ai fait valoir que si elle et mon père insistaient pour donner libre cours à leurs perversions sexuelles, ils devraient au moins essayer de ne pas éparpiller leurs traîneries dans toute la maison en guise d'évidence de leur fornication.

En y repensant, peut-être l'expression « perversion sexuelle » était-elle un peu dure, mais l'image de ce condom phosphorescent me hante depuis ce soir-là.

Je vais assurément tuer Daryl Flick pour ça.

★

J'ai en ma possession ma toute première pièce de matériel pornographique, et je suis électrisé. C'est un magazine *Playboy* que Daryl Flick m'a prêté. Il dit qu'il est désolé d'avoir volé les condoms de mes parents, mais je lui ai dit d'oublier ça. Un *Playboy !* Daryl Flick est un supercopain. La Beauté du Mois présentée en page centrale est une brunette éblouissante appelée Electra Donovan et elle a des seins spectaculaires. L'article précise qu'elle étudie en vue de devenir une actrice sérieuse et j'espère de tout mon cœur qu'elle réussira. Elle serait formidable à regarder au grand écran.

Ma mère veut savoir pourquoi je passe tellement de temps dans ma chambre, ces jours-ci, et je n'en finis pas de lui expliquer que c'est parce que j'étudie.

— J'en suis venu à me rendre compte que l'éducation est un privilège, lui ai-je dit. Et je veux seulement en tirer le meilleur parti possible.

Je n'aime pas tellement lui mentir, comme ça, mais je ne peux quand même pas lui avouer la vérité, c'est-à-dire que je suis en train de regarder des photos de femmes nues. Elle le prendrait complètement hors contexte.

★

J'ai eu une très longue rencontre avec la docteure Anderson, aujourd'hui. Je lui ai tout avoué au sujet des prophylactiques et du matériel pornographique et je lui ai dit que j'étais certain que la puberté m'attendait au tournant. Elle m'a demandé quels étaient mes états d'âme par rapport à ça.

— Il est à peu près temps que ça arrive ! ai-je déclaré. Ça fait déjà un bon moment que j'ai l'impression d'être un homme et j'en ai assez de me faire traiter comme un enfant.

Elle m'a invité à élaborer ma pensée, mais je me suis contenté de sourire.

Un peu plus tard, je lui ai dit que je sentais un lien véritable se développer entre nous et je lui ai demandé si je ne devrais pas commencer à l'appeler par son prénom, Élizabeth.

— Je ne pense pas que ce serait convenable, a-t-elle répondu, et une des choses dont nous sommes censés discuter pendant nos séances, c'est justement la différence entre un comportement convenable et un comportement inconvenant, pas vrai ?

— N'en dites pas plus, ai-je rétorqué en lui coulant un clin d'œil.

Elle prend manifestement conscience du lien grandissant qui nous unit, elle aussi, et elle s'inquiète que quelque chose d'inconvenant puisse survenir entre nous.

★

Aujourd'hui au dîner, j'ai parlé à John Michael de l'attirance grandissante que la docteure Anderson ressentait à mon endroit et je lui ai fait jurer le secret – à moins qu'il ne lui vienne une compulsion incompressible de partager l'information avec les autres gars de la classe.

— Tu rêves ! m'a-t-il dit. J'ai entendu dire que son mari était un ancien athlète olympique.

— *Ancien,* voilà le mot clé, ai-je persiflé. Personne n'apprécie quelqu'un qui est « passé date ».

Plus tard, John Michael est venu chez moi pour étudier. Après avoir crié «Allô» à ma mère et laissé tomber nos affaires dans le hall d'entrée, on a attrapé un sac de biscuits Oréo et on a filé à ma chambre pour étudier le *Playboy* d'un couvert à l'autre. Il y a des articles vraiment formidables là-dedans ! Ce qu'on a bien aimé, aussi, ce sont les lettres à l'éditeur dans lesquelles les hommes décrivent leurs expériences sexuelles les plus impressionnantes. Ni John Michael ni moi ne pensions que des types ordinaires pouvaient vivre des expériences aussi extravagantes, et nous ne savions pas qu'il y avait dans le monde autant de triplettes blondes sensationnelles. Nous avons convenu, tous les deux, que ça permet à un gars d'espérer.

★

Mes parents m'ont donné quinze dollars pour me récompenser d'étudier aussi fort depuis quelques jours. Ma mère m'a serré dans ses bras.

— C'est un grand soulagement de ne pas avoir à t'asticoter pour tes devoirs.

— Là-dessus, je suis tout à fait d'accord avec toi, ai-je répliqué. Ton asticotage était une épreuve pour moi également.

Sauf que, quand je me suis demandé à haute voix combien de Fun-Dips je pourrais me procurer avec quinze dollars, elle s'est empressée d'opposer son veto à tout achat de bonbons, alléguant qu'elle aimerait que j'entre dans l'âge adulte avec au moins quelques dents dans la bouche. Elle n'en a pas démordu, même après que je lui ai rappelé à quel point elle et moi détestions son asticotage, alors j'ai fini par lui permettre de me conduire au centre commercial, demain après l'école, pour que je puisse acheter un objet non comestible en guise de récompense.

Je me demande si les kiosques à journaux vendent des catalogues de lingerie.

★

Je n'ai acheté ni catalogue de lingerie ni quoi que ce soit au centre commercial, parce que j'ai aperçu la docteure Anderson à l'extrémité de la foire aux aliments. C'était la première fois que je la voyais hors de l'école et j'étais tellement excité par la possibilité d'en venir à la connaître de façon plus personnelle que j'ai agité la main et crié son nom. Puis je me suis précipité vers elle dans un élan si empressé que j'ai failli m'écraser les testicules en fonçant sur un coin de table. Un cri de douleur m'a aussitôt échappé et je me suis agrippé à la chaise la plus proche pour m'empêcher de m'effondrer. Le gars qui était assis dessus m'a donné un coup de coude et m'a dit de faire de l'air. C'était un type à l'allure athlétique qui avait sans doute eu de nombreuses expériences de couilles écrasées, alors je me suis penché et je lui ai chuchoté que je ne pouvais pas encore bouger parce que j'avais des élancements dans les testicules. Malheureusement, au lieu de réagir en me témoignant de la sympathie, comme je m'y j'attendais, le gars m'a poussé par en arrière, ce qui m'a propulsé sur un chariot qui passait par là. Basculant de côté, le chariot est tombé sur un vieux monsieur, qui s'est cogné contre le comptoir de l'Orange Julius. La dame au chariot m'a lancé un regard acerbe – comme si j'avais fait exprès pour me jeter sur son chariot ! – et le type athlétique s'est mis à se moquer de moi, ainsi que d'autres clients de la foire aux aliments. J'ai fait comme si je ne les entendais pas et je me suis éloigné avec toute la désinvolture dont j'étais capable, compte tenu de la vive douleur à l'aine que je ressentais à chaque pas. L'espace d'un instant, je me suis accroché à l'espoir que la docteure Anderson aurait pu remarquer l'incident et qu'elle attendait pour me prodiguer les premiers soins – par un massage, qui sait, de la région affectée –, mais quand je suis arrivé à l'endroit où je l'avais aperçue, elle n'y était plus.

Ce type athlétique m'a bien déçu, franchement. Selon moi, les gars devraient toujours être solidaires quand les testicules d'un de leurs semblables sont en péril. Je parie que les femmes se serreraient les coudes, elles, si l'une d'elles voyait ses ovaires menacés, surtout si elles étaient membres du mouvement radical féministe. Elles sont très organisées pour ce genre de choses.

★

Ce soir, ma mère m'a fait un sermon sur l'importance de demeurer bien hydraté. Apparemment, elle a remarqué que je ne buvais pas mon eau glacée au souper, depuis quelques jours. Ça, c'est parce que j'applique des compresses glacées sur mes caleçons sales pour empêcher mes testicules blessés d'enfler, et que je remets ensuite secrètement les cubes à moitié fondus dans le tiroir à glace, de façon à éviter toute question embarrassante. La seule idée de boire de l'eau refroidie à l'aide de ces glaçons me rend malade. Mais comme je ne pensais pas que c'était de ses affaires, voici ce que j'ai répondu à ma mère :

— Ne t'inquiète pas. Je bois beaucoup d'eau en faisant mes devoirs.

Ma réponse a semblé lui faire très plaisir. Il faut croire que je maîtrise vraiment l'art d'utiliser les mots.

★

Aujourd'hui, pendant la période de lecture silencieuse, John Michael m'a glissé un billet disant que Daryl Flick aimerait qu'on passe la soirée en compagnie des jeunes *squeegees*, vendredi. Je lui ai répondu en écrivant que ça me paraissait amusant, mais que je devrais y réfléchir un peu. J'ai fait remarquer à John Michael que les membres du LAPSLA étaient mon peuple et que bon nombre d'entre eux n'aimaient guère les jeunes laveurs de pare-brise.

« Est-ce que tu voudrais brasser la cage, toi, si ça allait contre les croyances de ton peuple ? » ai-je gribouillé. Puis j'ai utilisé plusieurs lignes pour me plaindre du froid mordant, en ajoutant un important post-scriptum en grosses lettres majuscules : « MES COUILLES NE SONT PAS ENCORE COMPLÈTEMENT GUÉRIES DE L'ÉCRASEMENT SUBI AU CENTRE COMMERCIAL. JE NE DEVRAIS SANS DOUTE PAS RESTER DEBOUT TROP LONGTEMPS JUSQU'À NOUVEL ORDRE. »

Épuisé, mais satisfait, j'ai froissé ma note dans une minuscule boule de papier et j'ai essayé de la lancer à John Michael. Malheureusement, elle a plutôt frappé Missy Shoemaker dans le cou avant de tomber à l'intérieur de sa blouse.

— Oups ! ai-je murmuré.

J'ai essayé de lui expliquer que c'était une simple erreur, mais elle ne m'a sans doute pas cru, car elle l'a retirée adroitement et projetée vers ma tête avec toute la vitesse et la puissance qui lui ont valu le titre de joueuse la plus utile à son équipe étoile de balle molle, l'an dernier. Le boulet m'a atteint à la tempe et j'ai poussé un cri. Traînant dans son sillage un élégant fichu en soie savamment noué sur son épaule, mademoiselle Thorvaldson a foncé sur moi, tel un gigantesque oiseau de proie incapable de prendre son envol à cause de son gigantisme et de sa mauvaise condition physique.

Elle a lu ma note à haute voix sans manifester la moindre étincelle de sympathie pour mes pauvres testicules, puis elle nous a dit, à John Michael et à moi, qu'elle allait appeler nos parents pour leur faire part de nos plans.

Je lui ai délicatement fait remarquer que ce que nous faisions après les heures de classe n'était pas de ses affaires.

— Va dans le coin, m'a-t-elle jeté, et restes-y longtemps.

Elle est encore moins sympathique que je l'aurais cru.

★

Mes parents m'ont défendu de me tenir avec les jeunes *squeegees*.

— Des enfants à problèmes peuvent apporter des problèmes, mon chou, a dit ma mère.

— Nous t'aimons trop pour te laisser entraîner dans une situation à laquelle tu ne peux pas faire face, a renchéri mon père.

Après qu'ils ont eu fini de me rebattre les oreilles avec cette histoire, j'ai téléphoné à John Michael en cachette. Nous avons convenu que nos parents étaient trop catégoriques en ce qui concerne nos chers bons amis les jeunes *squeegees*, et que nous étions assez vieux pour agir à notre guise, que ça leur plaise ou pas. Nous avons décidé de nous retrouver chez Daryl, demain après l'école, pour faire des plans.

★

Daryl était enchanté de savoir que nous allions nous éclipser en douce à l'insu de nos parents, vendredi. Il a dit qu'il était particulièrement fier de moi, soulignant que j'agis habituellement comme une poule mouillée. Après l'avoir remercié de cet aimable commentaire, je lui ai demandé de bien vouloir cesser de me traîner à travers la pièce dans cette prise de tête, parce que je commençais à me sentir faible. Il m'a traîné sur quelques longueurs de plus avant de s'écrier :

— Hourra !

Et là, il m'a lâché en me donnant un coup qui m'a propulsé tête première dans son vieux divan malodorant.

Daryl est l'ami le plus épuisant que j'aie jamais eu.

★

On est retournés chez Daryl, aujourd'hui, cette fois pour fabriquer des écriteaux en préparation de notre soirée *squeegee*. Il va faire trop froid pour qu'on lave effectivement les pare-brise, selon Daryl. Il prétend que des écriteaux pour demander de l'argent fonctionnent tout aussi bien. Il m'a montré le sien.

« VOUS AVEZ DE LA MONNAIE EN TROP ? »

Je lui ai dit que je n'avais probablement jamais rien vu de moins imaginatif. Le mien disait ceci :

« MA CORPULENCE N'EST PAS LE FRUIT DE TROIS REPAS ÉQUILIBRÉS PAR JOUR, MAIS PLUTÔT LE DOULOUREUX GONFLEMENT PROVOQUÉ PAR LE FAIT QUE JE MEURS DE FAIM. EN PLUS, MA

MÈRE A BESOIN D'UNE OPÉRATION, SINON ELLE VA MOURIR. SI VOUS NE DONNEZ PAS L'ARGENT QUE JE SAIS QUE VOUS AVEZ EN TROP, IL Y A DE GROS RISQUES QUE LE SORT SE RETOURNE CONTRE VOUS. »

Il était vraiment bien fait – j'ai utilisé un marqueur d'un magenta profond et j'ai orné toutes mes majuscules de fioritures.

— C'est l'écriteau le plus stupide que j'aie jamais vu ! a ricané Daryl.

John Michael m'a expliqué que le programme de soins de santé du Canada couvrirait les frais de l'opération de ma mère.

— On ne peut pas prévoir le temps que ça prendra pour qu'elle guérisse de son lifting facial, ai-je répondu avec assurance en ajoutant une autre fioriture à mon écriteau. Et nous aurons à débourser des sommes considérables pour engager des aides à la maison pour prendre soin de moi pendant ce temps-là. Montre-moi ton écriteau, John Michael.

Il l'a soulevé pour que je puisse le lire.

« MARCHEZ UN KILOMÈTRE DANS MES SOULIERS. »

Ça, c'est accrocheur.

★

J'ai recueilli 12,45 $ ce soir avant que Marv nous chasse du boulevard, mais j'en ressors avec deux genoux écorchés, une blessure à l'orteil et de nombreux affronts à mes émotions. Donc, je ne suis pas entièrement certain que ça en ait valu la peine.

La soirée a commencé vers dix-neuf heures. Après avoir dit à nos parents que nous allions au centre communautaire pour les jeunes du bout de la rue, John Michael et moi avons rejoint Daryl. On s'est tous dirigés vers le boulevard en tenant nos écriteaux. À ma déception, les *squeegees* brillaient par leur absence, mais ce n'était pas surprenant : un vent glacial et mordant soufflait du nord et il commençait à neiger. Je n'aurais pas pu le supporter si je n'avais pas été installé douillettement sur ma chaise de jardin, avec une couverture sur mes jambes, l'anorak en duvet de mon père sur le dos et un thermos de chocolat chaud à siroter. Daryl était manifestement jaloux de ma prévoyance, parce qu'il passait son temps à brasser ma chaise pour que je renverse du cacao sur le devant de l'anorak de mon père.

— Ce n'est pas ma faute si tu ne t'es même pas donné la peine de porter des mitaines, lui ai-je dit. Et pourquoi tu n'as pas mis un blouson plus chaud ?

Pour toute réponse, il m'a culbuté dans la neige et s'est mis à sautiller autour d'un pot de fleur en ciment pour empêcher ses pieds, qui étaient chaussés de toile, de geler. Comme je m'efforçais de remettre ma chaise d'aplomb, Daryl a figé brusquement et il a poussé un léger sifflement.

— Le beau pétard ! s'est-il exclamé.

En regardant sur la banquette arrière de la voiture arrêtée au feu rouge, j'ai vu qu'il s'agissait de ma plus grande admiratrice, Janine Schultz, alors j'ai retiré mon passe-montagne pour lui faire un léger salut du menton. Eh bien ! Son visage s'est éclairé à ma vue, et Daryl m'a coulé un regard tellement abasourdi que mon cœur est parti à l'épouvante. Avec une poussée d'énergie non caractéristique, je me suis propulsé sur lui dans le but d'engager un combat de coqs amical.

Malheureusement, je n'ai pas remarqué que mon cacao renversé s'était transformé en plaque de glace traîtresse, alors plutôt que de bondir en avant avec une vigueur juvénile, j'ai senti mes pieds partir de sous mon corps et je me suis affalé comme un sac plein de marteaux. John Michael et Daryl ont éclaté d'un rire démentiel, et quand j'ai fini par me remettre sur mes pieds de peine et de misère, Janine et ses parents rigolaient joyeusement dans leur voiture qui s'éloignait.

J'étais tellement enragé que j'ai botté le pot à fleurs en ciment de toutes mes forces, et là, je me suis cogné l'orteil si fort que j'ai hurlé de douleur. J'ai dû faire tout un boucan parce que, peu après, Marv a quitté sa station-service pour s'amener, muni d'un bâton de base-ball… Alors, nous avons ramassé nos affaires et filé par le terrain vague adjacent à la Mission.

De retour chez Daryl, on a partagé l'argent en trois, même si je n'avais presque rien recueilli – parce que je ne m'étais pas donné la peine de me lever pour permettre aux gens d'atteindre ma cannette plus facilement. Puis je suis revenu chez moi en boitillant comme je pouvais dans mon état lamentable, et là, j'ai rampé jusque dans ma chambre après avoir dit à mes parents que les bénévoles du centre communautaire pour les jeunes n'avaient réussi que très piètrement à me divertir.

S'il y a une chose que j'ai comprise, c'est qu'il faut rendre un mensonge vraisemblable si on espère obtenir la moindre crédibilité.

★

Il neigeait encore pas mal fort ce matin, ce qui a rendu encore plus misérable mon misérable circuit de distribution de journaux. Le croiriez-vous ? Certaines personnes n'ont même pas assez de considération pour me pelleter un chemin d'accès. Une des mes bottes Cougar s'est complètement remplie de neige, et quand je suis enfin rentré chez moi, mon pied blessé était tellement froid que je pouvais à peine le traîner derrière moi dans l'escalier.

Plus tard, pendant le petit déjeuner, j'ai voulu parler à ma mère des crétins insensibles à qui je livre le journal.

— Peut-être que ton pied ne serait pas devenu si froid si tu avais lacé tes bottes et enfilé des chaussettes, a-t-elle dit.

— Tu passes complètement à côté de la question, lui ai-je répondu en tendant mon assiette pour qu'elle me serve une autre pile de galettes. Le fait est que ces crétins insensibles ne m'ont pas pelleté un chemin d'accès.

Des fois, ma mère ne comprend simplement rien à rien.

★

Aujourd'hui à l'école, j'ai remarqué que Janine Schultz se montrait moins empressée à mon endroit qu'à l'habitude, alors j'ai redoublé d'efforts pour attirer l'attention en étant bruyant et perturbateur pendant la classe. Malheureusement, mademoiselle Thorvaldson semblait considérer sa leçon de mathématiques comme plus importante que mon estime personnelle, alors elle m'a envoyé faire une copie au secrétariat. Quand j'ai eu terminé, j'ai repéré Janine et je me suis mis en frais de lui expliquer en long et en large mes agissements de vendredi soir, lui disant que j'avais amassé de l'argent pour des œuvres caritatives et que j'avais fait exprès de tomber pour faire passer le message que la vie des jeunes *squeegees* est particulièrement difficile.

— Et, en plus de donner les 12,45 $ que j'ai recueillis à la Mission de la Sainte Lumière, où je travaille régulièrement comme bénévole, lui ai-je confié, je me propose d'y ajouter 15 $ de mon propre argent.

Janine a paru passablement intéressée par mon explication, ajoutant même qu'elle admirait les gens qui se soucient assez des pauvres pour s'engager dans de telles activités. Puis elle m'a demandé de cesser d'obstruer la porte des toilettes des filles, parce que sinon elle arriverait en retard au prochain cours.

Je pense que j'ai réussi à sauvegarder l'énorme béguin que Janine a pour moi. Quel soulagement ! Je ne me sentirais jamais aussi populaire si je n'étais plus l'objet de son amour unilatéral.

★

Mon orteil blessé m'inquiète beaucoup. Au début, on aurait dit un simple bleu, mais là, il prend d'horribles teintes de vert et de jaune et mon ongle ne tient qu'à un fil. En outre, j'ai décelé une étrange excroissance qui boursoufle et semble se propager rapidement. Je suis sûr qu'elle contient de la pourriture. L'espace d'un instant, j'ai songé à montrer mon orteil à ma mère, mais je me suis rappelé le fameux matin où j'avais fait semblant d'être sans connaissance et, franchement, sa technique de réanimation était très loin de la haute technologie. Ça ne m'intéresse pas de me faire taillader le pied avec un couteau mal aiguisé.

Je vais peut-être retourner à la clinique sans rendez-vous.

★

Dès mon arrivée à la Mission, ce matin, j'ai confié à Jerry que j'allais subir une amputation très risquée provoquée par une infection ravageante au pied. Je dois dire que son niveau de bouleversement m'a fait chaud au cœur.

— Quand ton médecin t'a-t-il annoncé ça? s'est-il écrié.

Je lui ai permis de me serrer dans ses bras pendant plusieurs minutes avant de lui expliquer que je n'avais pas encore reçu le diagnostic officiel. Il a paru moins bouleversé après ça, mais toujours très intéressé, et il a même offert de jeter un coup d'œil sur mon pied. J'ai accepté, parce que même si nous savions tous les deux qu'il n'avait rien d'un expert, il fallait bien admettre qu'il en avait vu, des plaies purulentes, dans sa vie.

Après un examen attentif, Jerry m'a informé que je souffrais d'une infection fongique connue sous le nom de pied d'athlète. Une infection fongique ! Bien pire que ce que je pensais ! Il a dit qu'il n'existait qu'une seule poudre médicamenteuse qui pourrait stopper la terrible prolifération de ma maladie, et il a ajouté que ce type d'infection s'attrapait souvent dans les vestiaires des centres sportifs. Je lui ai expliqué que je n'utilisais jamais ce genre d'installations parce que je déteste toute forme d'activité physique, mais il a simplement haussé les épaules et fait gicler un peu de savon antibactérien dans ses mains.

— En tout cas, a-t-il dit, tu as été contaminé quelque part.

Faisant de mon mieux pour ne pas tenir compte de son commentaire sans cœur, j'ai dit à Jerry que, par considération pour la santé et le bien-être du public, j'étais prêt à rentrer chez moi et à me mettre en quarantaine volontaire devant la télé.

— Le public s'en portera très bien, a-t-il répliqué, pour autant que tu ne serves pas la soupe avec tes orteils.

J'ai marmonné que je me sentais faible et j'ai chancelé un peu pour bien montrer ma langueur.

— Tu sais, il y a beaucoup de gens en bien plus piteux état que toi, qui doivent travailler pas mal plus fort que toi pour joindre les deux bouts, a-t-il dit en s'essuyant les mains avec des serviettes de papier brun. Ouvre les yeux et tu en verras quelques-uns parmi ceux qui font la queue pour la soupe. Allez, hop ! maintenant. Au travail !

Je me demande si les gens d'Église de l'ancien temps faisaient travailler les lépreux aussi fort. Si oui, et si j'avais été un lépreux, je les aurais envoyés trouver leur propre colonie.

★

J'ai demandé à ma mère d'acheter un gros contenant de poudre médicamenteuse pour tuer l'infection qui envahit mon pied. Au début, je n'osais pas parler de pied d'athlète – ça ne me semblait pas très médical comme terme, ni très distingué –, mais au bout d'un moment, je me suis décidé à le mentionner.

Ma mère s'est mise à rire.

— Ce sera quoi la prochaine fois, a-t-elle dit, de l'eczéma marginé ?

J'ai affiché mon air le plus insulté, mais elle m'a dit de cesser de tout prendre au tragique. Quelle compassion ! Elle et Jerry ont manifestement suivi le même cours sur l'empathie envers les malades.

★

J'ai déposé un billet dans la boîte aux questions du cours d'éducation à la vie familiale, pour avoir des précisions sur l'eczéma marginé. Monsieur Bennet l'a lu devant toute la classe. Il a expliqué que l'eczéma marginé est une irritation que les garçons et les hommes attrapent s'ils n'ont pas une bonne hygiène personnelle dans la zone pubienne. Je pense que mes oreilles sont devenues très rouges quand il a dit ça, surtout parce que je comprenais soudain que ma propre mère avait fait allusion à mon hygiène pubienne en blaguant sur l'eczéma marginé. Pourquoi pensait-elle à mon hygiène pubienne ? Je crois que ma mère aurait besoin d'un emploi à temps partiel. C'est clair qu'elle a trop de temps libre.

Monsieur Bennet a poursuivi en disant que plusieurs maladies transmises sexuellement peuvent également causer des démangeaisons dans la zone de l'aine. J'imagine qu'il a dû en dresser une liste complète, mais je n'en suis pas tout à fait certain, parce qu'à un moment donné il a prononcé le mot « crabe » et, après ça, je n'ai plus rien entendu d'autre que le bruit de gros crustacés vicieux en train de sauter sur mon membre.

À propos d'emploi à temps partiel, ma mère essaie d'en dénicher un dans un hôpital de la ville depuis que nous sommes à Winnipeg, mais sans succès. Elle considère maintenant la possibilité de bifurquer dans les rôles moins traditionnels qui s'ouvrent aux professionnels en soins de santé. Quand je lui ai suggéré de se concentrer sur l'amélioration de ses talents de ménagère avant de relever de nouveaux défis, elle s'est demandé tout haut si la commission scolaire avait besoin d'une nouvelle conseillère en éducation sexuelle.

— On ne doit jamais plaisanter sur ces choses-là, ai-je dit en grimaçant.

— Je ne plaisante pas, a-t-elle rétorqué.

Et elle s'est empressée de chercher le numéro de téléphone de l'administrateur en chef.

Elle se trouve bien comique, mais en fait, elle ne l'est pas du tout.

★

Ce soir après le souper, Jerry s'est présenté à notre porte, l'air de très bonne humeur. Apparemment, la tante de Janine travaille comme bénévole à temps partiel à la cuisine de la Mission et elle a parlé à Jerry du généreux camarade de classe de sa jeune nièce qui planifiait de donner quinze dollars de son propre argent en plus de tout ce qu'il avait amassé en se déguisant en jeune *squeegee*.

— J'ai tout de suite compris qu'elle parlait de toi ! a dit Jerry en joignant les mains. Tu devais être tellement distrait par ton infection fongique, samedi matin, que tu as oublié de me les donner.

J'ai eu beau lui expliquer qu'il n'avait pas bien compris, il m'a fait valoir que la jolie jeune nièce de madame Schultz serait très déçue d'entendre ça.

— Est-elle aussi populaire que madame Schultz le prétend ? a-t-il demandé avec un sourire chaleureux.

— Ouais, ai-je grogné.

Et je suis monté dans ma chambre à grands pas colériques pour aller chercher l'argent. En redescendant, j'ai décidé de me garder un petit quelque chose, mais Jerry n'a eu besoin que d'un regard à la pile de monnaie et de billets pour se rendre compte de l'écart.

— Que c'est étrange ! Madame Schultz m'a dit que tu avais amassé 12,45 $ pendant que tu étais *squeegee,* et là, je ne vois que 7,20 $.

Alors, je n'ai pas eu d'autre choix que de tout lui donner.

Me voilà cassé – encore une fois ! Et par la faute de Jerry – encore une fois !

Franchement, ce gars-là commence à me taper sur les nerfs !

★

Dans le module scientifique, nous suivons un cours intitulé « Notre système solaire » et Missy Shoemaker en a construit un modèle fonctionnel pour son projet de fin de session.

Je n'étais pas impressionné du tout, parce qu'une petite note au bas de son machin indiquait : « Pas à l'échelle ». Je l'ai fait remarquer à plusieurs gars qui se tenaient près des casiers, et nous en avons bien ri tous ensemble. Après tout, à quoi bon avoir un modèle si l'échelle n'est pas bonne ?

— C'est qui, l'andouille, là, hein ? ai-je demandé à Missy.

Elle a répondu que c'était moi, parce que si le modèle avait été à l'échelle, Mercure n'aurait pas été plus gros qu'un pois et Jupiter aurait eu la grosseur d'un terrain de football. Les gars et moi, on s'est encore bidonnés là-dessus parce que tout le monde sait que Jupiter est bien plus gros qu'un terrain de football.

Missy a croisé les bras et elle a attendu qu'on ait cessé d'agir comme des abrutis. Ça nous a pris pas mal de temps, mais elle a fini par capter mon attention assez longtemps pour s'informer du sujet de mon projet de fin de session. Voyant que je refusais de le lui décrire, elle m'a lancé :

— Ça doit avoir rapport avec l'eczéma marginé.

Elle a dit qu'elle savait que c'était moi qui avais posé cette question-là parce qu'elle avait reconnu mon écriture « fioriturée ». Les élèves qui étaient dans le corridor se sont bien moqués de moi en entendant ça, et quand les rires se sont estompés, Missy m'a demandé :

— Ça fait combien de temps que tu as des poux pubiens ?

Ils se sont tous esclaffés de plus belle, en particulier Lyle Filbender, qui s'est mis à se gratter furieusement autour de l'aine en faisant semblant d'être moi avec des poux dans le pubis. Je n'étais pas trop certain de ce qu'étaient au juste des poux pubiens, mais plutôt que de révéler mon ignorance à une mangeuse d'hommes comme Missy Shoemaker, je l'ai traitée de vache insupportable. Alors elle m'a traité de pou pubien et s'est éloignée d'un pas furieux en disant :

— Je vais te rapporter !

Plus tard, mademoiselle Thorvaldson m'a fait venir à son bureau pour avoir traité Missy Shoemaker de vache. À ma surprise, elle m'a permis de m'expliquer là-dessus. Je lui ai dit que Missy m'avait traité de pou pubien, en faisant remarquer que c'était pire que de se faire traiter de vache, parce que selon ce que je pouvais voir, l'insulte qu'elle m'avait faite insinuait que j'étais un insecte porteur de maladie vénérienne, petit et dégoûtant, alors qu'une vache, au moins, était un animal vertébré. J'ai été encore plus surpris quand mademoiselle Thorvaldson a convenu que de me traiter de pou pubien était inconvenant (je lui suis hautement reconnaissant de ne pas me considérer comme un petit insecte dégoûtant porteur de maladie vénérienne, puisque, d'habitude, c'est comme ça qu'elle me traite), mais elle a ajouté qu'elle ne jugeait pas approprié non plus de traiter quelqu'un de vache. Elle a alors appelé Missy Shoemaker à son bureau et elle nous a demandé de nous excuser et de nous serrer la main pour montrer qu'on ne se gardait pas rancune. J'ai accepté, même si j'avais encore plein de rancune, parce que faire semblant qu'on s'entend bien avec les gens qu'on méprise montre qu'on a de la maturité. En revenant à ma place, cependant, j'ai chuchoté à Missy :

— Tu serres la main comme un ouvrier de la construction.

— Et toi, comme une princesse de conte de fées, a-t-elle rétorqué.

Alors, vous voyez : notre camaraderie était une façade qui s'est rapidement fracassée. La paix dans le monde rencontre des problèmes similaires, si j'ai bien compris.

J'ai très hâte d'obtenir un A+ pour mon projet final – *Planète Terre : mon monde, mes règlements* – et de voir Missy Shoemaker en être quitte pour mordre ma poussière. Gagner des batailles intellectuelles : voilà la façon civilisée d'écraser ses ennemis.

★

Toute cette histoire à propos de l'eczéma marginé, des poux pubiens et du grattage s'est apparemment insinuée jusque dans mon subconscient, parce que, depuis quelques jours, j'ai des démangeaisons insupportables à l'aine. Je devrais peut-être songer à mettre un caleçon propre un de ces jours. Mais encore là, je ne voudrais pas que ma mère s'imagine que j'ai pris au sérieux son petit discours importun sur mon hygiène pubienne.

Des fois, il n'y a pas de réponse facile.

★

J'ai eu un F pour mon projet sur le système solaire. Mademoiselle Thorvaldson a dit que *Planète Terre : mon monde, mes règlements* n'était rien de plus qu'un ouvrage fantaisiste et décousu. J'ai été profondément offensé par la justesse de son analyse, et j'ai mis ça sur le dos de mes parents qui me surchargent d'obligations parascolaires. J'ai expliqué qu'avec mon bénévolat à la Mission et ma distribution de journaux, j'avais à peine le temps de regarder mes programmes de télévision.

— Comment voulez-vous que je trouve le temps de faire des travaux scolaires, au nom du ciel ? ai-je demandé en hochant la tête d'exaspération.

Mademoiselle Thorvaldson a ébouriffé les mèches de ses cheveux teints et elle a répondu d'une voix rocailleuse :

— Eh bien, ça, je n'en sais rien, mais il va falloir que tu le trouves, sous peine de couler en sciences.

Comme je n'imagine pas que les sciences vont jouer un rôle majeur dans ma vie, j'ai aussitôt annoncé que j'acceptais de couler.

— Ce n'est pas un choix valide, a-t-elle persiflé.

J'ai voulu lui faire remarquer qu'elle me l'avait présenté comme tel, mais elle a grincé des dents vraiment fort et m'a renvoyé à ma place.

Pour une enseignante, franchement, elle n'a pas beaucoup de patience.

★

Apparemment, mademoiselle Thorvaldson a téléphoné à mes parents pour leur parler de ma note lamentable, parce que ma mère m'attendait à la porte quand je suis rentré de l'école, aujourd'hui. Elle m'a dit qu'elle était atterrée d'apprendre la mauvaise nouvelle, surtout après toutes les heures que j'ai passées à étudier dans ma chambre.

— Je sais ! ai-je dit.

Et j'ai suggéré que nous essayions d'obtenir les services d'une meneuse de claque de l'école secondaire pour me servir de tutrice.

— Peut-être bien, a répondu ma mère.

C'est là qu'elle a brandi mon magazine *Playboy*.

— MAIS PEUT-ÊTRE, AUSSI, DEVRAIS-TU ARRÊTER DE LIRE DE LA PORNOGRAPHIE QUAND TU ES CENSÉ ÉTUDIER ! a-t-elle vociféré.

Un million de pensées me sont passées par la tête d'un seul coup, mais là, j'ai remarqué Electra Donovan qui me coulait un regard provocateur depuis la page couverture, alors je me suis contenté de soupirer et de lui rendre son regard. Je ne sais pas combien de temps je serais resté à la zyeuter si ma mère n'avait pas roulé le magazine pour me frapper à la tête avec.

— Arrête ça ! lui ai-je dit. Et d'abord, pourquoi as-tu fouillé dans mes affaires ?

Mais elle m'a frappé une autre fois et m'a envoyé dans ma chambre jusqu'au souper.

Un peu plus tard, je suis quand même sorti en douce pour reprendre mon magazine *Playboy*, mais tout ce que j'ai pu trouver, c'est mon père étendu dans le vivoir en train de lire l'*Encyclopédie Britannica*. Il était tellement absorbé dans sa lecture qu'il ne s'est même pas rendu compte de ma présence, jusqu'à ce que je lui fasse remarquer qu'il tenait le livre à l'envers.

Imaginez donc ! Être capable de lire un gros livre comme ça à l'envers ! Mon père est un véritable érudit.

★

Daryl Flick était très contrarié d'apprendre que son magazine *Playboy* avait été confisqué et il m'a dit que je n'étais plus dans le coup jusqu'à nouvel ordre.

— Non, Daryl, non ! ai-je supplié.

Je lui ai promis que je ferais n'importe quoi pour regagner mes privilèges de porno gratuite.

— N'importe quoi ? a-t-il relevé.

— Je t'assure que oui ! ai-je dit en appuyant ma réponse d'un grand signe de tête.

Il va y réfléchir et me revenir là-dessus. Je me croise les doigts !

★

Ce soir j'ai téléphoné à monsieur Fitzgerald, mon patron au *Winnipeg Daily News,* pour l'informer que, dans deux semaines jour pour jour, il ne bénéficierait plus de mes services.

— Je coule dans plusieurs matières à l'école, ai-je expliqué. Et, même si j'ai l'impression que c'est surtout causé par le fait que je sois injustement évalué par une enseignante qui en a contre moi sans la moindre bonne raison, ma mère semble penser que c'est parce que j'ai besoin d'étudier davantage, alors il ne me restera plus de temps pour votre minable circuit de distribution de journaux.

Sitôt les mots sortis de ma bouche, je me suis rendu compte à quel point ils étaient durs, alors j'ai ajouté :

— N'interprétez pas ça de façon personnelle.

Et j'ai gentiment expliqué à monsieur Fitzgerald que, bien qu'il n'y ait rien de honteux dans une carrière de distribution de journaux pour une personne comme lui, pour ma part, je n'y trouvais rien de gratifiant ni de stimulant. Ça n'a pas semblé l'apaiser, cependant, et il n'a pas paru attristé de me voir partir non plus. En fait, il s'est montré carrément désagréable et il a même ricané quand j'ai demandé s'il y aurait une fête d'adieu pour souligner mon départ. Il faut croire qu'il n'y en aura sans doute pas.

Rien de surprenant à cela. Jamais monsieur Fitzgerald n'a fait grand-chose pour que je me sente bienvenu.

★

Cet après-midi, John Michael et moi sommes allés chez Daryl Flick, parce qu'on voulait un endroit où il n'y aurait pas de mères pour nous écornifler et que celle de Daryl n'est presque jamais là.

— Tu n'as pas idée de la chance que tu as, lui ai-je dit, tout en lui suggérant d'inciter sa mère à faire le marché un peu plus souvent, parce qu'il n'y avait rien d'autres qu'une boîte de cœurs d'artichauts en conserve dans son armoire. Comment s'imagine-t-elle que tu peux recevoir des invités sans gâteaux ?

Pour toute réponse, il m'a fait tomber sur son tapis crasseux et il m'a sauté sur la poitrine jusqu'à ce que je demande pardon.

Après ça, il m'a dit qu'il avait trouvé une façon de me faire regagner mes privilèges de porno. Apparemment, Marv passe son temps à le chasser du boulevard quand il se joint à la bande de *squeegees,* et Daryl en a assez. Il cherche à manigancer un tour pendable pour ridiculiser Marv aux yeux de ses clients payants, et il veut que je l'aide. Au début, je me suis montré réticent, en tant que futur collègue de Marv comme propriétaire de commerce, mais là, Daryl m'a montré une copie de *Voluptuous Vixens*[4].

— Tu es sûr de ne pas vouloir ? a-t-il insisté.

Alors j'ai dû baisser les bras.

— Non, ai-je admis. Pas sûr du tout.

Je suis esclave de ma dépendance.

★

4. Voluptuous Vixens (en français, Renardes voluptueuses) est une revue pornographique.

J'ai terminé ma dernière tournée de distribution de journal aujourd'hui ! Plus besoin de me lever de bonne heure, plus besoin de satisfaire les impossibles attentes de monsieur Miller. En guise de récompense spéciale, j'ai même écrit *Dans le cul* sur le coin supérieur de son journal, bien que je n'aie pas signé mon nom. Seul un fou aurait été aussi peu subtil.

Le plus beau dans tout ça, c'est que monsieur Fitzgerald, quand il m'a téléphoné pour me rappeler de rapporter mon sac, m'a invité à communiquer avec lui si jamais j'avais besoin de références. Voici les termes qu'il a employés :

— Le jeune, je veux m'assurer que ton prochain employeur sache tout à ton sujet.

J'étais terriblement flatté, mais je lui ai répondu que, même si j'appréciais son offre généreuse, je ne me donnerais probablement pas la peine de m'en prévaloir.

— Une référence de la part d'une personne en charge de camelots, ça n'a pas grand poids dans le vrai monde, lui ai-je dit.

Quand même, une référence pour un emploi ! Peut-être ai-je mal jugé monsieur Fitzgerald, après tout – et peut-être s'est-il finalement rendu compte qu'il m'avait mal jugé, lui aussi. Une bonne leçon pour tous les deux, j'imagine.

★

Notre école met sur pied un spectacle multiethnique et multireligieux à l'occasion de Noël et du temps des fêtes. Normalement, les élèves de septième année ne sont pas obligés de participer à de telles imbécillités, mais le gouvernement menace encore de sabrer dans les subventions aux organismes œuvrant en théâtre et en musique, et notre directeur espère qu'un événement somptueux auquel participera chaque élève de l'école prouvera hors de tout doute que de telles coupures seraient une erreur épouvantable.

Ma classe a écopé de la responsabilité de jouer la Nativité. Dès qu'on nous en a fait part, j'ai demandé à être dispensé, alléguant que ce serait un affront à mes parents, qui s'efforcent de m'éduquer comme un païen impie. Mademoiselle Thorvaldson a refusé ma requête.

— De toute façon, tu seras seulement dans la chorale, a-t-elle dit.

J'étais très fâché – j'ai répliqué que cette participation forcée équivalait à une persécution religieuse !

— Est-ce que les païens impies ne méritent pas le même respect que n'importe qui dans leur pratique religieuse ? ai-je protesté.

J'ai aussi voulu savoir pourquoi je n'avais pas été choisi pour un rôle parlant. En guise de réponse, mademoiselle Thorvaldson m'a ramené à mon pupitre comme si j'étais une vache capricieuse. C'était très humiliant, surtout quand Missy Shoemaker m'a meuglé au visage.

Je me demande si mes parents vont être aussi insultés que je le suis par toute cette histoire. Probablement. Ils passent leur temps à me casser les oreilles avec leur principe de tolérance religieuse quand je fais des remarques acerbes sur les pratiques farfelues des peuples qui font l'objet des numéros spéciaux du *National Geographic.* Mes parents sont de vrais fanatiques en ce sens-là.

★

Ma mère ne s'est pas montrée aussi outrée que je m'y attendais quand je lui ai expliqué que mademoiselle Thorvaldson ne respectait pas mon athéisme. En fait, elle s'est arrêtée de frotter le plancher juste assez longtemps pour me servir un sermon incisif sur l'importance de mettre le couvercle sur le mélangeur la prochaine fois que je me ferai du lait frappé. J'ai attendu qu'elle ait fini de m'asticoter pour lui demander si elle avait entendu ce que je lui avais dit à propos du concert de Noël. En guise de réponse, elle m'a tendu le Spic and Span. Pas le moindre sentiment d'outrage moral ! Eh bien, moi, je ne supporte pas les gens qui sont tellement pris dans leurs petits problèmes insignifiants qu'ils ne peuvent pas tenir compte de mes sentiments.

★

Ce matin avant la classe, j'ai demandé à mademoiselle Thorvaldson si elle avait reconsidéré son point de vue sur les athées et le concert de Noël, mais elle m'a seulement dit de m'enlever de son espace de stationnement, où je gisais en guise de protestation. J'avais même un écriteau collé sur le corps qui disait : *À BAS LES PERSÉCUTRICES RELIGIEUSES COMME MADEMOISELLE THORVALDSON.* Le spectacle avait ameuté pas mal de monde et j'espérais que la belle Lori Anderson, de la chaîne de télévision CTY, surgirait peut-être pour élargir mon auditoire, mais je n'ai pas eu cette chance. Ah ! ces journalistes ! Ils ont du temps à revendre pour parler des tyrans qui vivent à l'autre bout du monde, mais il ne leur en reste plus pour dénoncer ceux qu'on a ici même, chez nous.

De toute façon, mon plan était de demeurer étendu dans l'espace de stationnement de mademoiselle Thorvaldson jusqu'à ce que j'aie amassé suffisamment de soutien de la part de la foule pour faire rouler sa voiture dans le fossé, ce qui lui aurait donné une leçon sur l'intolérance à l'égard d'autrui. Cependant, quand elle a commencé à rouler tout doucement au-dessus de moi, je n'ai eu d'autre choix que de me relever en vitesse. J'étais tellement outré par son comportement imprudent que j'ai donné un coup de poing sur son capot.

— Vous auriez pu me tuer ! ai-je crié.

Mais ce qui la préoccupait bien davantage que son imprudence, c'était la bosse que j'aurais pu faire sur le capot de son antique Volkswagen Beetle. J'ai eu beau lui expliquer que j'étais sous l'effet d'un outrage moral bouillonnant quand j'avais attaqué sa voiture, elle n'a pas trouvé dans son cœur le moindre iota de compassion à me témoigner.

Il faut croire que certaines personnes ne comprennent tout simplement pas ce qu'est un outrage moral bouillonnant.

★

Aujourd'hui, à la répétition, j'ai dit à la Vierge Marie d'aller se faire foutre, parce que ce n'était pas du tout la Vierge Marie, mais Missy Shoemaker. Ça m'irritait qu'elle ait obtenu le rôle principal dans le concert de Noël tandis qu'on me reléguait à la vulgaire chorale. En me dirigeant vers ma place au milieu de l'armée céleste, j'ai asséné un bon coup de pied dans la crèche, envoyant voler tête première sur le plancher la poupée Bout d'chou qui jouait le rôle de l'Enfant Jésus.

— Fais d'l'air, espèce de crétin ! m'a lancé la Vierge Marie.

C'est là que je l'ai envoyée se faire foutre. Puis j'ai botté sa poupée encore une fois, mais si fort qu'elle est tombée en bas de la scène. Malheureusement, comme l'enfant-Dieu volant l'a atteinte derrière la tête, mademoiselle Thorvaldson a remarqué ce qui se passait. Elle a poussé un jappement aigu et s'est retournée, l'œil mauvais, et là, j'ai eu beau lui raconter que Missy m'avait lancé la poupée et que je l'avais simplement fait dévier du pied, mademoiselle Thorvaldson ne m'a pas cru.

Plus tard, quand elle est venue me récupérer au bureau de la secrétaire, je lui ai dit que c'était typique de sa part que de prendre la parole de la Vierge Marie plutôt que la mienne. J'ai également essayé de lui exprimer à quel point ça me décevait qu'elle n'ait pas fait le moindre effort pour comprendre le symbolisme de mon geste, mais elle m'a alors jeté sèchement :

— Tais-toi ! Tu me donnes la migraine.

Puis elle a redressé le veston de son costume de puissance et s'est précipitée vers le téléphone pour appeler ma mère.

★

J'ai demandé au deuxième Roi mage de cracher sur la Vierge Marie à la prochaine répétition, pour me rendre service, mais il a refusé.

Et moi qui pensais que nous étions amis !

★

Ce soir, tout de suite après que Daryl Flick m'a annoncé, au téléphone, qu'il avait piqué le dernier numéro de *Voluptuous Vixens* au dépanneur de la station-service de Marv, ma grand-mère a appelé mon père pour l'asticoter à propos des ventes de novembre à la Maison des toilettes. Après avoir raccroché et que son pouls fut revenu à la normale, mon père nous a fait un petit discours émouvant, à ma mère et à moi, nous disant à quel point il était reconnaissant de notre soutien dans ses efforts pour ramener vers le succès le commerce dont j'hériterais un jour. Puis, il m'a fait la surprise de me remettre mon propre chandail LAPSLA, ainsi qu'un certificat attestant que j'étais maintenant membre junior officiel de l'organisation.

— J'avais l'intention de garder tout ça pour Noël, a-t-il dit en dardant sur moi un regard radieux, mais je suis tellement fier de voir mon propre fils se joindre à l'équipe de LAPSLA que je ne pouvais tout simplement pas attendre.

Me voilà dans un dilemme terrible. Comment vais-je pouvoir tenir ma promesse à Daryl tout en participant à un tour pendable pour humilier Marv quand, à titre de président de LAPSLA, c'est lui-même, Marv, qui a signé mon magnifique certificat tout neuf ? Car si, d'un côté, j'ai très hâte d'entrer dans le monde enivrant des affaires, de l'autre, je meurs d'envie de voir ce nouveau numéro de *Voluptuous Vixens*.

Je n'ai aucune idée de ce que je vais faire.

★

Ce matin, à la Mission, j'ai confié à Jerry que j'étais aux prises avec un dilemme déchirant et il s'est montré très sympathique. Il m'a dit de ne pas m'en faire, parce que, quoi qu'il arrive, ça ferait partie du plan de Dieu. Quand je lui ai rappelé que j'étais un athée et que le plan de Dieu ne voulait rien dire pour moi, il m'a répondu :

— Dieu nous aime et prend soin de nous tous, même des athées. Si tu pries, je suis certain qu'Il va répondre à tes prières.

J'ai demandé à Jerry pourquoi il ne priait pas Dieu d'éliminer la pauvreté, alors.

— Ce n'est pas parce que Dieu répond à nos prières qu'Il nous donne les réponses que nous attendons, a-t-il dit en riant.

— C'est commode pour Lui, ai-je rétorqué tandis que Jerry se précipitait pour aider une femme et ses deux jeunes enfants à transporter leurs plateaux jusqu'à une table. Je vais me souvenir de cette excuse-là la prochaine fois que je vais couler un test de maths de mademoiselle Thorvaldson.

★

Je viens de promettre à Dieu que s'Il arrange ça pour que je puisse aider Daryl sans que ça affecte mon statut de membre junior de LAPSLA, je serai dorénavant un participant actif et enthousiaste de son concert de Noël. Je me suis aussi excusé d'avoir botté l'Enfant Jésus sur la tête de mademoiselle Thorvaldson (bien que j'aie souligné que c'était une simple poupée Bout d'chou et que la Vierge Marie avait vraiment couru après). Finalement, je Lui ai dit que j'étais au courant de toutes Ses petites manigances, quand Il donne aux gens le contraire de ce qu'ils demandent.

— Si c'est ça, Votre plan, dans ce cas-ci, Lui ai-je dit, vous pouvez tout laisser tomber. Moi, je joue franc jeu et je m'attends à la même attitude de la part des gens avec qui je négocie.

Je n'ai pas reçu de réponse immédiate de Sa part, mais en tant qu'athée, je suis probablement le dernier sur Sa liste de réponses aux prières. Malgré cela, je pense que Dieu va me considérer digne de Son respect. J'avais une demande, je l'ai faite, et j'ai offert en échange quelque chose qui a de la valeur à Ses yeux. Si ça marche, je partirai peut-être ma propre religion. Si j'obtenais une ligne directe avec Dieu, c'est moi qui irais chercher les meilleures cotes d'écoute à la télévision.

★

Ce matin, au petit déjeuner, mon père a repris mon chandail LAPSLA et mon certificat, et il s'est excusé d'avoir paru faire pression sur moi pour que je joue un rôle plus actif en soutenant la Maison des toilettes.

— Fiston, comme ta mère me l'a fait remarquer hier soir après que tu as été te coucher, tu seras bien assez vite un homme avec des responsabilités d'adultes, a-t-il dit en me tapotant l'épaule. Pour l'instant, nous voulons seulement que tu t'efforces d'avoir une enfance normale et de vivre les mêmes expériences que les autres garçons de ton âge.

Quand j'ai eu terminé de mastiquer ma bouchée de Lucky Charms, je l'ai remercié d'avoir compris à quel point c'était inélégant de sa part d'avoir voulu me coincer de cette façon. Mais en même temps, je songeais que vivre les mêmes expériences que les autres garçons de mon âge ne pouvait vouloir dire qu'une chose : *Voluptuous Vixens !*

Si ça, ce n'est pas un signe qui vient de Dieu, je ne sais pas ce que c'est.

★

Daryl avoue qu'il a du mal à trouver le tour pendable idéal pour embêter Marv.

— Peut-être est-ce un signe que Dieu t'envoie pour te faire comprendre qu'Il veut que tu arrêtes ces niaiseries-là et que tu me donnes tout simplement mon magazine porno, lui ai-je dit.

Daryl a paru y réfléchir sérieusement.

— Peut-être est-ce un signe que Dieu pense que tu n'es rien qu'un idiot, a-t-il rétorqué avant de raccrocher.

Je pense qu'on peut affirmer sans se tromper que Daryl ne connaît rien à rien dans l'interprétation de Ses signes.

★

J'étais tellement enthousiaste, aujourd'hui, pendant la répétition du concert de Noël, que mademoiselle Thorvaldson a dû m'emmener à l'écart et me demander d'arrêter d'enterrer le reste de la chorale.

— Je vais essayer, ai-je répondu. Mais chacun a son style propre et le mien, c'est de chanter à pleins poumons en tout temps.

Elle m'a coulé un regard suspicieux, et j'ai bien vu qu'elle pensait que je jouais encore une fois l'athée qui ne veut pas collaborer, alors je me suis empressé de lui expliquer que Dieu était intervenu dans un déchirant dilemme personnel, et que je ne faisais ça que pour Lui rendre la pareille.

— Je pensais que tu ne croyais pas en Dieu, dit-elle.

— Qui suis-je pour nier les résultats? lui ai-je répondu.

Plus tard, j'ai eu bien du mal à ne pas ignorer la Vierge Marie quand elle a fait remarquer à haute voix que ma braguette était ouverte et qu'elle pouvait voir mes sous-vêtements bleus et sales. Tous les bergers et leurs troupeaux l'ont trouvée bien bonne et se sont bidonnés, mais je leur ai simplement dit : « Je vous pardonne » ou « Soyez prêts », parce que ce sont des formules que Jésus affectionnait, et je me disais que Dieu apprécierait cette touche. La Vierge Marie a réagi par une grimace démoniaque en poussant son nez vers le haut et en tirant vers le bas les poches de peau qu'elle a sous les yeux. Ça lui donnait l'air sordide et j'aurais eu d'excellentes insultes à lui lancer, mais je n'ai pas dit un mot.

Ce n'est pas surprenant qu'il y ait autant de chrétiens opportunistes. Un véritable engagement religieux exige une révision majeure de sa personnalité, en plus d'être une véritable emmerde.

★

C'était la générale en costume pour le concert de Noël, aujourd'hui. Ça s'est bien passé, mais je dois reconnaître que mon déguisement de membre de l'armée céleste n'est pas des plus réussis. Ces derniers temps, ma mère a développé un problème d'attitude en se déchargeant sur moi de certaines tâches maternelles, comme celle d'assembler en vitesse les éléments de mon habit d'ange. C'est ainsi qu'au lieu d'avoir une tunique impeccable en coton blanc ornée d'une guirlande dorée, comme les autres membres de la chorale, je porte la vieille robe de chambre de mon père, jaunie par le temps et tachée de café sur le devant. En vérité, je n'ai pas tellement l'air de faire partie de l'armée céleste, à moins que l'on ne se réfère à l'un des guenilloux de Jerry qui serait monté au ciel après une beuverie nocturne. C'est probablement pour ça qu'on m'a demandé de quitter la place d'honneur (juste devant mademoiselle Thorvaldson) pour le coin le plus reculé et obscur de la rangée du haut. Ça ne me fait rien, cependant, parce que ça me donne la chance de guider la rangée quand nous prenons nos places. Je jouis aussi d'une vue imprenable sur la scène, ce qui est bien, puisque, même si mademoiselle Thorvaldson exige qu'on la fixe en tout temps pour bien capter ses signaux, j'ai choisi un compromis : je la regarde seulement quand il n'y a rien de plus intéressant à voir.

Voilà sans doute pourquoi je rate le début et la fin de la plupart des cantiques. C'est comme ça que j'ai appris que ma voix résonne vraiment fort quand je chante tout seul. C'est surprenant qu'on ne m'ait pas choisi pour un solo.

★

Je me suis foulé la cheville, hier soir, pendant le concert de Noël, mais je suis pas mal certain que ce n'était pas une façon pour Dieu de me démontrer Son irritation devant mon manque d'attention pendant Son concert. Primo, je ne pense pas qu'un Dieu miséricordieux ferait une telle chose, et deuzio, faire tomber quelqu'un du bout d'un banc de chorale n'est pas un geste très spectaculaire, et Il doit savoir que les gestes spectaculaires sont indispensables pour épater la génération de la télé.

Après le concert, mademoiselle Thorvaldson a souligné que je ne me serais pas autant donné en spectacle si j'avais regardé où je marchais plutôt que de souffler des baisers à l'auditoire. En guise de réponse, je lui ai servi les sages paroles de Jerry en affirmant que tout cela faisait partie du plan de Dieu.

— Vous ne vous pensez pas plus fine que Dieu, quand même? lui ai-je demandé.

Je lui ai alors coulé un regard consterné comme si même moi – un païen impie –, je ne pouvais croire à un tel sacrilège.

★

Le cousin de Daryl, le corrompu qui fait partie d'un gang, nous suggère de tirer dans les fenêtres du dépanneur de la station-service pour donner une leçon à Marv. Il a dit à Daryl que ce n'était pas un problème pour lui de se procurer un pistolet. J'étais sidéré.

— Tu n'es pas sérieux, hein ? ai-je demandé à Daryl. Parce que je n'embarque pas dans quoi que ce soit du genre – ni pour toi ni même pour de la porno.

— Tu as la chienne, ou quoi ? a-t-il ricané.

— Oui, absolument ! ai-je crié.

Alors il a reconnu, avec réticence, qu'il avait peur, lui aussi.

Quel soulagement ! Daryl a peut-être de la graine de voyou, mais c'est bon à savoir qu'il n'est pas un criminel.

★

Ce week-end, John Michael et moi avons amené sa petite sœur Lucy voir le père Noël au centre commercial. Ça faisait des années que je n'étais pas allé lui rendre visite, à celui-là, parce que la plupart des pères Noël de magasins que j'ai rencontrés se permettent de juger la liste de cadeaux des gens. Ils disent des choses comme : « Tu demandes un bien gros cadeau pour un si petit garçon. » Ou encore : «Les fourneaux Easy Bake, c'est pour les filles. » Et moi, je n'ai tout simplement pas besoin de ce genre de pression à ce temps-ci de l'année.

Malgré tout, j'ai l'esprit de Noël autant que n'importe qui, alors j'ai accepté d'aider John Michael à traîner Lucy au centre commercial.

On a attendu une éternité à la queue leu leu, bien sûr, et Lucy était tellement excitée qu'elle ne tenait pas en place. À plusieurs reprises, j'ai essayé de lui expliquer que la société ne pense pas grand bien des femmes qui lèvent leur jupe au-dessus de leur tête en public, mais elle passait son temps à me traiter de caca, et j'ai fini par lui dire : « Celle qui le dit, c'est celle qui l'est ! » Puis je l'ai simplement ignorée, parce qu'il n'était pas question de me rabaisser au niveau d'une enfant de trois ans.

Après une éternité, les lutins sont enfin venus la chercher. Je confiais à John Michael à quel point j'étais heureux que le supplice tire à sa fin quand les lutins sont revenus nous informer que Lucy voulait que nous posions avec elle sur la photo.

— Ça ne m'intéresse pas, ai-je dit.

J'ai voulu revenir à ma conversation, mais le père Noël nous a tonitrué de joyeux encouragements dans son porte-voix. J'ai eu beau me cacher, le père Noël a insisté :

— JE TE VOIS, DERRIÈRE CETTE CANNE DE BONBON GÉANTE.

Il a vociféré qu'il n'y avait rien à craindre.

— C'est peut-être vous qui avez peur ! ai-je crié en lui montrant le poing.

Mais, constatant qu'il n'y avait pas moyen de nous en sortir avec élégance, je me suis tourné vers John Michael pour lui dire que nous serions mieux d'en finir au plus vite, pour me rendre compte qu'il avait... disparu!

Pris de panique, j'ai essayé d'expliquer que je devais partir à la recherche de mon copain, mais les deux lutins m'ont saisi par les bras et traîné jusqu'au père Noël, qui m'a sonné sa cloche au nez et installé tant bien que mal sur son genou libre. Il m'a tenu là tandis que lui et Lucy souriaient à l'appareil photo, et dès que le flash s'est déclenché, la foule s'est mise à battre des mains, spontanément. J'étais mortifié et, comble de malchance, en quittant le genou du père Noël, j'ai aperçu Missy Shoemaker qui applaudissait à tout rompre, assise à l'avant, un grand sourire sur le visage. Je lui ai fait un doigt d'honneur, bien sûr. En voyant cela, le père Noël m'a arraché la canne en bonbon qu'il m'avait donnée en disant que les petits garçons de mon espèce ne trouvaient que des morceaux de charbon dans leur bas de Noël.

— Vous sentez la bière, ai-je répondu.

Et j'ai entraîné Lucy plus loin avant que le père Noël puisse m'enguirlander davantage.

J'ai fini par retrouver John Michael, qui mangeait un taco à la foire aux aliments. Je lui ai décoché mon regard le plus offensé pour qu'il voie à quel point sa trahison m'avait blessé, mais il n'a pas dû capter mon langage non verbal parce qu'il n'arrêtait pas de rire.

À l'avenir, je pense que je devrais y aller plus directement pour partager mes états d'âme avec lui.

★

Missy Shoemaker a raconté à toute la classe que je m'étais fait prendre en photo avec le père Noël, sauf que dans sa version de l'histoire, je passais mon temps à dire « Ze t'aime, père Noël ! » et qu'il avait fallu trois lutins pour me descendre de ses genoux. Elle a aussi raconté qu'elle m'avait entendu lui dire que je voulais une petite pouliche, pour Noël. J'ai nié la chose avec véhémence, confiant à mes camarades de classe que c'est une mitrailleuse et des sous-vêtements gris que je voulais, d'abord parce que je suis un gars, et aussi parce qu'on ne peut pas faire grand-chose avec les petites pouliches, à part leur tresser la queue.

J'estime avoir remis les pendules à l'heure.

★

À moins d'une semaine avant le début des vacances, j'ai plus de difficulté que d'habitude à être attentif en classe, mais aujourd'hui j'ai réussi à me concentrer juste assez longtemps pour choisir Théodore Pinker pour l'échange de cadeaux des fêtes. Théodore est le plus grand élève de la classe – il mesure déjà plus d'un mètre quatre-vingts –, et sa taille démesurée le rend très mal à l'aise. Je le sais parce que sa posture est terrible – il se tient le dos voûté pour essayer de passer inaperçu parmi nous –, mais aussi parce que la fois où je l'ai traité de gros balourd pendant le cours d'éducation physique, il m'a lancé le ballon chasseur avec une telle violence que j'en ai eu le souffle coupé. Plus tard, quand je lui ai dit que viser mon diaphragme était un comportement très contraire à l'esprit sportif, il a mis mon caleçon dans le conduit de ventilation du plafond avant de quitter le vestiaire. J'ai supplié les autres gars de grimper les uns sur les autres pour aller le chercher, mais ils ont ri comme des fous et m'ont laissé là, les fesses à l'air. J'ai fini par me rhabiller sans mon caleçon, avec le résultat que je me suis écorché les parties sur les coutures intérieures rugueuses de mon pantalon de tweed. Croyez-moi, ce n'est pas une sensation que j'oublierai de sitôt.

Quoi qu'il en soit, je vais devoir réfléchir au cadeau que je vais offrir à Théodore Pinker – mais pas trop, parce que mes testicules ont souffert de se faire frotter à vif cette fois-là. Tu ne peux pas provoquer un frottement de testicules à vif, comme ça, et t'attendre à ce que ta victime ressente une tonne d'inspiration à ton endroit.

★

J'ai eu ma dernière séance de l'année avec ma jolie psychologue, la docteure Anderson. Pour Noël, je lui ai acheté une tasse de chez Gags illimités, portant l'inscription « Les médecins le font cliniquement », et je l'ai remplie d'un bas culotte invisible et d'un tube de rouge à lèvres Fièvre de la passion. Mademoiselle Thorvaldson va en recevoir une semblable, sauf que la sienne dira « Les enseignants le font avec classe » et contiendra une broche du temps des fêtes à l'effigie de Miss Piggy, qui s'allume quand on lui appuie sur le museau. Non seulement c'est un accessoire étonnant, mais il est très signifiant parce que Miss Piggy est une femelle corpulente qui suit la mode et refuse de se laisser intimider par qui que ce soit, exactement comme mademoiselle Thorvaldson.

En tout cas, la docteure Anderson a paru très surprise de mon cadeau.

— Ne faites pas de chichi ! lui ai-je dit.

Et je lui ai demandé si elle m'avait acheté un petit quelque chose elle aussi. Elle m'a dit que non, et elle m'a posé plusieurs questions sur la notion de conduite convenable. Plutôt que de lui répondre, je lui ai suggéré, comme résolution du Nouvel An, de trouver un autre sujet pour nos rencontres. Je lui ai expliqué que j'avais appris tout ce que j'avais apprendre sur ce qui était convenable comme conduite et que je ne pourrais pas rendre ma conduite plus convenable que ce qu'elle était.

— Pourquoi n'essayeriez-vous pas le bas culotte invisible et le rouge à lèvres Fièvre de la passion pour moi ? lui ai-je alors demandé.

Elle a refusé et a mis fin à notre séance.

En quittant son bureau, j'ai noté que la docteure Anderson paraissait vieillir rapidement. Elle semble toujours très fatiguée après nos entretiens, et je pense qu'elle commence à grisonner. Elle devrait faire plus attention à elle, parce qu'une fois qu'elle aura perdu sa beauté, elle n'aura rien d'autre sur quoi s'appuyer que sa personnalité et son intelligence et, dans le monde d'aujourd'hui, jusqu'où une femme peut-elle aller avec ça ?

★

Janine Schultz m'a donné un carré de tricot pendant l'échange de cadeaux. Elle a dit qu'elle l'avait tricoté elle-même et que ça *aurait dû* être un foulard, mais qu'elle avait manqué de temps. J'ai dit : « Oh », et je lui ai demandé ce que j'étais censé faire avec ça.

— Tu pourrais t'en servir comme décoration murale, a-t-elle suggéré, ou comme poignée isolante pour soulever un chaudron chaud.

Je lui ai fait remarquer qu'il y avait trop de failles dans son tricot pour en faire une décoration et que les poignées étaient pour les femmes, mais je l'ai quand même remerciée. Elle rayonnait quand elle a entendu mes mots gentils. C'est évident qu'elle m'adore toujours, mais, à cause de ça justement, j'imaginais qu'elle m'aurait donné quelque chose de plus impressionnant.

J'ai offert à Théodore Pinker un paquet de rouleaux Life Savers, même si j'ai dû en retirer trois, parce que l'ensemble coûtait plus que trois dollars, montant que mademoiselle Thorvaldson nous avait clairement indiqué de ne pas dépasser. Théodore s'est montré très impoli en voyant ça. Il m'a traité de « pingre » et de « belette ». J'ai tenté de lui expliquer que j'avais agi dans le meilleur intérêt de tous, pour éviter de susciter la jalousie et la pagaille chez nos camarades, et là, il a croqué un rouleau de bonbons au rhum et au beurre (à travers l'emballage) et il en a broyé un certain nombre entre ses dents, dans une démonstration de rage primaire, alors je me suis abstenu d'ajouter qu'il avait omis de me remercier. Il y a des fois où il vaut mieux se taire.

Comme c'était la dernière journée d'école, j'ai donné mon cadeau à mademoiselle Thorvaldson. Elle a été tellement surprise ! Elle a bien essayé de protester que je n'aurais pas dû, mais j'ai serré gentiment son épaule géante en lui disant :

— Bah ! Noël est un temps pour donner, même à ceux qui ont été mesquins envers nous dans le passé.

Ça l'a laissée sans voix.

— Joyeuses fêtes ! a-t-elle soupiré après un moment. Dieu merci, on finit tôt, aujourd'hui.

★

Ah ! La liberté ! Deux semaines sans subir les exigences du système d'éducation publique. Je vais rester à la maison à me reposer, à bouffer des tonnes de calories vides et à regarder la télé autant qu'il est humainement possible de le faire. Je serai irascible et maboul à force de ne rien faire et j'aurai un taux excessivement élevé de sucre dans le sang. Je vais sans cesse importuner ma mère en me lamentant que je m'ennuie, mais je résisterai à toutes ses tentatives pour me forcer à aller prendre l'air. Je deviendrai de plus en plus mollasson, somnolant sur le divan la majeure partie de mes journées et, au bout du compte, j'aurai l'impression que le temps des fêtes a filé sans que j'aie accompli quoi que ce soit qui ait un tant soit peu de valeur.

Ça n'a peut-être pas l'air palpitant, mais pour moi, c'est une tradition.

★

En ce matin de ma première journée de vacances, ma mère m'a forcé à aller à la Mission de la Sainte Lumière. J'ai eu beau lui rappeler ma sacro-sainte tradition de ne pas prendre d'air pendant deux semaines complètes, elle m'a botté dehors.

— Les choses changent, a-t-elle dit.

Naturellement, j'étais de très mauvaise humeur en arrivant là-bas, humeur qui ne s'est guère améliorée quand Jerry m'a demandé d'aider les bénévoles du Comité pour un Joyeux Noël à empiler des paniers dans leurs autos, parce qu'ils sont farouchement déterminés à ce que chaque personne en ville ait un repas convenable à Noël. J'avais beau gémir : « Du calme ! » ou « Attention à mes cheveux », ou encore « Mon dos me fait mourir », ils n'en continuaient pas moins de me charger comme un mulet.

— On n'a pas une seconde à perdre si on veut livrer tous les paniers à temps ! a crié un homme vêtu d'un chandail des Jets de Winnipeg en me lançant une poche de pommes de terre pesant dix kilos.

Je pense vraiment que j'aurais piqué une colère si Daryl Flick ne s'était pas présenté au milieu de la matinée. Je savais que ça devait être moi, et personne d'autre, qu'il venait voir, alors je me suis glissé derrière lui et j'ai crié : « Beuh ! » Il m'a fait voler sur une pile de paniers, après quoi je l'ai entraîné à part pour me plaindre des personnes charitables du Comité pour un Joyeux Noël qui veulent tellement aider les pauvres qu'elles refusent même de me laisser me reposer pendant quarante-cinq petites minutes.

— Quelle bande de minables ! a-t-il affirmé.

Puis il m'a averti de me tenir prêt à jouer le tour pendable à Marv tout de suite après Noël. Quand j'ai voulu savoir quel tour il avait imaginé, il m'a dit de me mêler de mes affaires, alors je me suis contenté de lui demander si je pouvais m'attendre à faire un séjour dans un centre de détention juvénile à la suite de ce coup-là. Pour toute réponse, il a attrapé les cordes de mon capuchon et m'a propulsé dans une des bienfaitrices, qui m'a conseillé de me remettre au travail sous peine qu'elle me rapporte à Jerry.

Quand j'en ai eu terminé avec la corvée des paniers, j'ai informé tout le monde qu'il n'y aurait plus de moi à faire travailler de-ci de-là après aujourd'hui, parce que ma condamnation à faire des œuvres de charité désintéressées prenait fin à Noël. Jerry m'a fortement recommandé de réviser ma décision, faisant remarquer que la véritable charité commence quand on la fait de son propre chef. J'ai roulé de grands yeux découragés en ricanant, puis je lui ai dit que je penserais à lui lorsque je déchirerais l'emballage de mes nombreux cadeaux, le jour de Noël.

— Qu'est-ce que tu t'attends à recevoir ? lui ai-je demandé en enfilant mon blouson.

— L'amour et le pardon de Dieu, a-t-il répondu en retournant mon collet à l'endroit.

L'amour et le pardon de Dieu. Cher Jerry. Quel personnage !

★

À part les cent dollars que m'a envoyés ma grand-mère, j'ai le regret d'annoncer que le butin de Noël, cette année, a été plutôt déprimant. Encore une fois, les gens n'ont pas saisi mes allusions au téléviseur à écran géant que je voulais pour ma chambre. Au lieu de ça, mes parents m'ont offert une chaîne stéréo portative, une chemise en velours et un bon-cadeau donnant droit à un cours accéléré en danse ukrainienne. Tante Maude m'a offert un livre intitulé *Votre côté féminin,* qui explique comment rester connecté avec mon côté plus doux pendant la période tumultueuse de la puberté, et Ruth m'a tricoté un chandail de pêcheur et un béret assorti. J'ai remercié tante Maude, mais j'ai dit à Ruth que je ne connaissais pas beaucoup de garçons qui portaient des bérets. Elle a fait remarquer que son petit Sparky était un garçon et que son béret lui donnait une allure formidable.

— Sparky est un chien, ai-je rétorqué.

Mais elle m'a jeté un regard si furieux que j'ai laissé tombé.

Le pire, c'est que ma mère ne me permet même pas de dépenser mes cent dollars à ma guise, alléguant que ce n'est pas correct de flamber autant d'argent, et que le montant serait déposé à la banque, à moins que je trouve un gros objet convenable à acheter. Je me suis creusé la cervelle pour trouver une façon de présenter le poulet frit et la pornographie comme des objets convenables, mais sans succès.

— Pourquoi pas un jeu de chimie, ou une paire de patins de hockey? a suggéré ma mère.

J'ai levé les mains en l'air, en proie au désespoir.

Il y a des fois où j'ai l'impression de vivre avec une étrangère.

★

Incidemment, avez-vous remarqué à quel point je garde mon calme au sujet des leçons de danse ukrainienne? Je dois être encore sous le choc.

★

J'ai essayé d'en discuter rationnellement avec mes parents, mais ils ont grimpé dans les rideaux à la seconde où j'ai eu la mauvaise idée d'en parler comme de mon satané cadeau de malheur.

— Franchement, mon garçon ! Oublies-tu que j'ai fait partie de la troupe de danse ukrainienne Rusalka pendant près de six ans ? a lancé mon père. Essaie, pour voir. Imagine les mouvements de danse avec lesquels tu pourras impressionner les autres à la prochaine danse de ton école.

Je me suis imaginé en train de caracoler autour du gymnase vêtu d'un pantalon bouffant rouge surmonté d'une veste en paillettes.

— Je ne pense pas, ai-je répondu. Est-ce qu'on ne peut pas le retourner ? Ou le déchirer ? S'il vous plaît ?

Ma mère a refusé l'une et l'autre de mes suggestions, mais elle a accepté de ne pas m'obliger à commencer les leçons tout de suite.

— Le bon-cadeau peut être encaissé en tout temps, a-t-elle dit en se penchant pour me faire un câlin.

— Et si on remettait ça à la semaine des quatre jeudis ? ai-je suggéré en montant à tue-tête le volume de ma chaîne stéréo.

La musique jouait si fort qu'elle a enterré la réponse de ma mère, mais son expression m'a fait comprendre que ce n'était pas beau à entendre.

★

Cet après-midi, ma mère m'a obligé à aller glisser dans la neige avec John Michael et Daryl

Flick. Et maintenant, je suis étendu sur mon lit avec, autour du corps, sa réserve entière de steaks Salisbury congelés pour contenir mes boursouflures. Je suis certain que je ne souffrirais pas autant si Daryl était resté sur son morceau de carton et qu'il m'avait laissé m'amuser en paix dans ma chambre à air géante, mais dès qu'ils ont vu à quel point c'était formidable de glisser dans mon engin, mes copains ont sauté dedans et se sont empilés par-dessus moi. J'ai passé tout l'après-midi à capoter le long de la pente glacée. J'étais le premier en avant, le dos coincé dans le trou de ma chambre à air, à supplier Daryl de ne pas nous faire foncer dans le gros cahot au bas de la côte. Mais lui, il riait comme un maniaque chaque fois qu'on frappait le fameux cahot et qu'on volait en l'air, et alors, ou bien j'atterrissais sur une partie de mon crâne, ou bien ma colonne absorbait l'impact de l'écrasement. Après chaque descente, Daryl et John Michael remontaient le long de la côte tandis que je devais l'escalader en m'esquintant à tirer la chambre à air, et la seule fois où j'ai pensé que Daryl revenait sur ses pas pour m'aider à me relever, il m'a botté de la neige en pleine face en me houspillant pour que je me dépêche de la remonter.

Je pense que je vais prêter à Daryl *Votre côté féminin*. Il a vraiment besoin de prendre contact avec son côté plus doux.

★

J'ai dit à mes parents que j'allais rejoindre John Michael pour un match de hockey dans la rue, ce soir, mais en réalité, je rencontre Daryl dans le terrain vague près de la Mission. Après nos glissades, hier, il m'a enfin fait part du tour pendable qu'il veut jouer à Marv. Si j'ai bien compris, mon rôle sera d'entrer dans le dépanneur de la station-service pour distraire Marv. Pendant ce temps, Daryl installera un seau d'eau très froide au-dessus de la porte de façade, après quoi il ira renverser les boîtes à ordures qui se trouvent près des pompes à essence. Quand j'aurai constaté qu'il a complété la phase deux de son plan, je devrai m'écrier : « Oh, non, Marv ! On dirait que quelqu'un a encore fouillé dans tes ordures ! » Daryl calcule que, quand Marv va se ruer dehors pour voir ce qui se passe, son bâton de base-ball à la main, le seau va basculer et le tremper de la tête aux pieds, ce qui non seulement lui donnera l'air ridicule, mais lui fera peut-être aussi attraper un rhume.

— Alors, c'est ça ? lui ai-je demandé quand il a eu fini ses explications. En trois semaines de réflexion, tout ce que tu as pu trouver, c'est le truc du seau-au-dessus-de-la-porte ? Aurais-tu pu imaginer quelque chose de moins original ?

— Original ! On s'en fout ! a-t-il répondu.

Cet idiot ne me laisse plus jamais entrer dans son dépanneur et il aura ce qu'il mérite. Il a couru après.

J'ai suggéré plusieurs raffinements à son plan, mais Daryl m'a fait basculer dans ma chambre à air géante, m'a épinglé sous son morceau de carton et a refusé de me laisser me relever tant que je ne n'arrêterais pas de parler.

Au moins, je vais récupérer mes privilèges de porno, et tout ce que j'aurai à faire, c'est jouer le rôle d'un témoin innocent. Ça pourrait être pire.

★

Je ne peux pas parler, sauf pour dire que le tour pendable contre Marv a horriblement mal tourné ! Le seau a dû se renverser avant que Daryl puisse l'installer sur la corniche… L'eau s'est répandue et elle a gelé… Quand Marv s'est précipité dehors, il a glissé – d'abord sur la glace, et ensuite sur son bâton de base-ball, qu'il avait lâché en cherchant un point d'appui auquel s'agripper pour ne pas tomber ! On l'a transporté d'urgence à l'hôpital avec une blessure sanglante à la tête et… Oh ! Faut que je m'arrête ! Quelqu'un vient !

★

C'était seulement ma mère qui m'apportait une tasse de lait chaud et une assiettée de profiteroles du Blue Moon Café, que je ne peux même pas manger tellement j'ai mal au cœur. Ô l'ironie ! Je n'ai pas encore parlé à Daryl et j'ai peur de lui téléphoner parce que ma mère fait irruption dans ma chambre toutes les deux secondes pour s'assurer que je ne suis pas en état de choc, à la suite du traumatisme d'avoir dû appeler une ambulance pour Marv et faire une déposition à la police.

Je ne peux pas croire que je suis en train de vivre une chose pareille.

★

Il est trois heures du matin. Je viens de raccrocher après avoir parlé à Daryl. Il a répondu à la première sonnerie – j'imagine qu'il ne pouvait pas dormir, lui non plus. On aurait dit qu'il avait pleuré, mais quand je lui ai posé la question, il a lâché un juron et s'est mouché, alors je lui ai plutôt demandé ce qui n'avait pas marché dans son plan. Il m'a expliqué qu'il avait les mains tellement froides qu'il a lâché le seau avant d'avoir pu le mettre en place, et qu'il n'avait pas pu me prévenir puisque Marv l'avait menacé d'appeler la police s'il le revoyait mettre les pieds dans son magasin.

— Je n'ai jamais voulu qu'il se blesse, tu sais, a-t-il dit. Je voulais seulement lui donner une leçon.

— Je le sais, ai-je répondu.

On est restés là à se sentir coupables tous les deux jusqu'à ce que Daryl finisse par reprendre la parole, d'une voix si basse, cette fois, que j'ai eu du mal à l'entendre :

— J'imagine qu'il est inutile qu'on se fasse prendre tous les deux, a-t-il chuchoté. Alors voilà ce que j'ai pensé : toi, comme tu n'as rien fait qui puisse te faire prendre, en réalité, tu devrais t'en sauver.

Eh bien, il va sans dire que je ne pensais qu'à ça – m'en sauver –, depuis le moment maudit où j'ai vu Marv tomber sur la plaque de glace, mais en entendant Daryl suggérer ça, je l'ai senti tellement misérable que j'ai brusquement (et inexplicablement) changé d'avis.

— Non, mais de quoi tu parles ? ai-je protesté. Tu es mon ami !

Et je me suis engagé, sur-le-champ, à rester à ses côtés, quoi qu'il arrive.

— Ne fais pas l'idiot ! a répliqué Daryl, mais il avait retrouvé son bon vieux ton familier et je savais qu'il était soulagé de ne pas faire face à ce cauchemar tout seul.

Avant de raccrocher, je lui ai promis de garder les oreilles à l'affût et de faire tout mon possible pour lancer les flics sur une piste qui ne nous mette pas en cause. J'ai aussi suggéré que nous priions nos dieux respectifs pour que Marv survive à la nuit. Daryl s'est montré d'accord.

Je ne peux pas croire que je reste solidaire avec lui plutôt que de me tirer d'affaire, d'autant plus que je peux légitimement affirmer avoir été un témoin plutôt innocent.

Peut-être que je me suis frappé la tête, moi aussi, et que je ne m'en souviens tout simplement pas.

★

Alléluia ! Marv va s'en sortir très bien, sauf pour les huit broches qu'on lui a posées pour réparer sa cheville, qui s'est fracassée quand il a trébuché sur son bâton de base-ball. Félix, le prêteur sur gages, a téléphoné ce matin pour nous annoncer que Marv entrait en salle d'opération. Apparemment, l'effroyable entaille que j'avais vue sur sa tête était seulement superficielle, et, malgré qu'il ait brièvement perdu conscience sur les lieux de l'accident, il avait repris du poil de la bête une fois dans l'ambulance, à tel point qu'en arrivant à l'hôpital il criait aux ambulanciers de faire demi-tour pour qu'il puisse prendre en chasse le chenapan qui lui avait fait le coup.

Dès que mon père a eu fini de parler au téléphone avec Félix, je me suis éclipsé dans ma chambre pour prendre contact avec Dieu. Je L'ai remercié à profusion d'avoir exaucé ma prière et je Lui ai promis qu'à l'avenir je m'abstiendrais de prier pour des choses comme la pornographie, et que je m'en tiendrais aux questions de vie ou de mort pour éviter d'encombrer le pipeline.

J'espère qu'Il apprécie mon sacrifice.

★

J'ai appelé Daryl en cachette pour lui annoncer la bonne nouvelle au sujet de Marv. Lui aussi en avait une pour moi : il a parlé à John Michael en privé et il l'a convaincu de jurer que Daryl et moi jouions au hockey dans la rue avec lui entre 19 h et 21 h.

Les secrets et les alibis : deux très bonnes raisons d'avoir de très bons amis.

★

Monsieur Filbender s'est arrêté chez nous après souper pour nous dire que l'opération de Marv s'était bien déroulée. Selon ce qu'il a confié à mon père, Marv est persuadé que c'est un des protégés de Jerry qui lui a tendu cette embuscade. Une vingtaine de minutes avant qu'on arrive, Daryl et moi, en cette soirée fatidique, un de ces types de la rue aurait essayé d'utiliser les toilettes de la station-service. Quand Marv lui a répondu de revenir après avoir pris une douche et trouvé un emploi, le bonhomme a piqué une petite crise de nerfs avant de quitter les lieux, très en colère. D'après Marv, deux indices prouvent que c'était l'œuvre de ce voyou malodorant : primo, la plaque de glace était composée d'urine ; secondo, il a aperçu un rôdeur qui ricanait près des poubelles renversées non loin des pompes à essence.

Pensant avoir mal compris, j'ai demandé :

— La plaque de glace était composée d'urine ? Que voulez-vous dire ?

Monsieur Filbender a expliqué que les policiers avaient analysé la glace et, qui plus est, qu'ils avaient réussi à recueillir un échantillon contenant des cellules épithéliales, de sorte que s'ils parviennent à attraper l'auteur du méfait, ils pourront vérifier son ADN et prouver sa culpabilité.

— Fantastique ! me suis-je écrié, me maudissant intérieurement d'avoir accepté de prendre le blâme avec ce bon à rien de Daryl.

Mon père a plissé le front.

— Je ne comprends toujours pas comment Marv peut être certain que ce soit le type qui a voulu aller aux toilettes un peu plus tôt.

— Il a vu quelqu'un rôder et *rire*, a répété monsieur Filbender. Qui d'autre est-ce que ça aurait pu être ? Je vous dis... ces gens-là ne nous causent que des problèmes depuis que cette soupe populaire est ouverte. Et cette fois, ils sont allés trop loin.

Avant de partir, monsieur Filbender a remis à mon père une enveloppe qui contenait la première ébauche confidentielle d'une résolution qui serait éventuellement passée par LAPSLA. Puis il m'a félicité d'être resté auprès de Marv après que ce dégénéré eut provoqué ses blessures, et il m'a suggéré de devenir membre de la catégorie junior de LAPSLA.

— Mon fils Lyle vient d'être élu président, a-t-il dit. Je suis certain qu'il pourrait trouver un poste digne d'un gars comme toi.

Lyle ! Oui, bien sûr ! Oh, je suis prêt à gager qu'il pourrait !

★

C'était la première fois que je revoyais Daryl depuis la Nuit de Marv et j'ai commencé par l'engueuler pour avoir rempli le seau d'urine alors qu'il était clair que ça devait être de l'eau.

— À quoi as-tu pensé ? lui ai-je demandé.

Il a répondu qu'il s'était dit que ce serait encore plus drôle de voir Marv trempé d'urine.

— J'ai d'ailleurs trouvé ça drôle de le voir *glisser* sur la pisse, a-t-il avoué en gloussant, jusqu'à ce qu'il me voie rire et qu'il se blesse en essayant de bondir pour courir après moi.

— Tu es un vrai homme de Néanderthal, des fois, le sais-tu ?

Il a réagi en faisant semblant de sortir sa saucisse et de pisser sur moi.

J'ai peut-être insulté les hommes de Néanderthal en l'appelant comme ça.

★

Aujourd'hui, je suis allé chez Félix, le prêteur sur gages, pour le convaincre de prendre le béret que j'ai reçu à Noël.

— Ça me tenterait, a-t-il dit, sauf que le marché des bérets orange est tombé dans les bas-fonds, ces derniers temps. Alors, je vais passer.

Puis il m'a demandé si j'avais entendu parler des complications post-opératoires de Marv.

— Non, ai-je répondu, alarmé. Qu'est-ce qu'il a eu ?

Il a expliqué que Marv avait attrapé une vilaine infection qui l'obligerait à prolonger son séjour à l'hôpital pour au moins deux autres semaines.

— Ça n'a pas amélioré son humeur, a fait remarquer Félix, en essayant mon béret une autre fois.

Non, j'imagine bien que non.

★

Ma grand-mère a téléphoné pour nous souhaiter la bonne année durant le souper qui soulignait la fin du temps des fêtes. Elle a aussi dit à mon père que les ventes de décembre avaient presque été à la hauteur de ses attentes – même si, pour être honnête, elle les avait considérablement révisées à la baisse en raison de la performance lamentable de novembre.

— Bravo, papa ! ai-je dit à mon père.

Puis j'ai demandé à ma grand-mère si elle avait entendu parler de l'accident de Marv.

— Ce n'était pas un accident, a-t-elle déclaré.

Elle a ajouté que le temps était venu d'agir contre « ce monde-là », dans l'intérêt des honnêtes gens qui travaillent fort.

On est ensuite revenus à table et le repas s'est poursuivi.

— Je pense que tout le monde a besoin de se calmer, a dit mon père. Je ne suis toujours pas convaincu que ce qui est arrivé à Marv n'était pas une stupide farce de gamins qui a terriblement mal tourné.

C'était tellement proche de la vérité que je me suis étouffé avec une aile de poulet barbecue.

— Personne n'apprécie plus que moi la voix de la raison, papa, ai-je dit après avoir fini de tousser. Mais aucun de tes collègues de LAPSLA n'est d'accord avec toi, et tu ne peux pas te permettre de devenir un paria dans la communauté locale des affaires sur un sujet comme celui-là. Surtout quand grand-maman commence enfin à parler de toi en termes aussi élogieux.

Il n'a pas eu l'air content de ma remarque, mais j'imagine qu'il en a compris la logique puisqu'il a fini par laisser tomber.

Fiou ! C'est quoi son problème, de vouloir empêcher ceux qui vivent en marge de la société d'être faussement accusés ? C'est quasiment aussi grave que l'obsession de la pauvreté dont souffre Jerry !

★

Mademoiselle Thorvaldson s'est procuré un ensemble tape-à-l'œil pendant les fêtes – un costume-pantalon de couleur crème qu'elle porte avec une blouse en soie bleue et un chapeau en suède assorti. Dans un effort pour commencer l'année du bon pied, je l'ai inondée de compliments sur sa tenue. Malheureusement, elle n'a pas semblé les apprécier – même pas quand je lui ai dit que son ensemble lui donnait l'air d'un cow-boy solitaire au féminin. Elle m'a renvoyé à ma place et, plus tard, au retour du dîner, elle m'a collé une retenue quand elle m'a surpris à faire tournoyer mes revolvers imaginaires, coiffé de son chapeau.

Il faut croire que nous sommes partis du mauvais pied, malgré tout. Bah ! J'aurais dû m'y attendre. Voilà une femme qui ne sait pas accepter les compliments.

★

En éducation à la vie familiale, monsieur Bennet nous a annoncé que, pendant le semestre, nous allons former des couples et nous occuper d'un œuf, pendant toute une semaine, dans le but de comprendre les responsabilités parentales. Je lui ai dit que j'espérais que ça n'avait rien à voir avec un exercice que nous avions fait dans un cours de sciences, où nous devions emballer un œuf et le laisser tomber d'une fenêtre du deuxième étage sans qu'il se brise, parce que je ne ferais jamais ça à mon propre enfant, et qu'en plus mon œuf s'était écrasé avec fracas parce que je ne m'étais pas donné la peine de l'envelopper suffisamment.

— Ne t'en fais pas, a répondu monsieur Bennett.

Alors je lui ai demandé si, dans cet exercice, il allait former des couples de même sexe.

— Je ne suis pas certain, a-t-il dit.

Mais je lui ai fait valoir qu'il y avait probablement, dans la classe même, des personnes qui se posaient des questions sur leur orientation sexuelle.

— Qui sommes-nous pour envoyer le message que les homosexuels ne devraient pas avoir le droit de faire l'expérience du miracle de la vie ?

Je pense que je lui ai cloué le bec avec ça.

Plus tard, Lyle Filbender a déclaré qu'il fallait avoir l'esprit vraiment tordu pour poser pareille question à monsieur Bennet sur les couples de même sexe. Je lui ai rétorqué que je n'avais pas l'esprit tordu – que j'étais simplement réaliste en ce qui concerne la définition que l'on donne aujourd'hui au mot « famille » et que c'était lui qui avait l'esprit tordu. Et là, il s'est mis à me courir après en pointant un gros glaçon directement sur mon cœur. Alors, je me suis réfugié auprès de la monitrice de la cour d'école et j'ai passé le reste de l'heure du dîner à tourner autour d'elle en articulant silencieusement des paroles provocatrices à l'intention de Lyle Filbender.

Je plains la fille qui va l'avoir comme partenaire. Elle et l'œuf vont probablement se retrouver dans un refuge.

★

Ma mère nous a emmenés voir Marv à l'hôpital, John Michael et moi. Marv m'a présenté à tout le monde comme le gars qui l'avait sauvé. Il m'a promis des petits gâteaux gratuits à vie en gage de sa reconnaissance. J'étais tellement ému que j'ai commencé à saliver.

— Marv, lui ai-je dit, tu es un homme à la générosité d'esprit inégalée.

Il a eu l'air terriblement content. Puis il a ordonné aux infirmières d'augmenter la vitesse d'écoulement de sa morphine et nous a demandé de partir parce que c'était l'heure de son bain à l'éponge.

Des gâteaux gratuits pour la vie ! Moi qui croyais que le crime ne payait pas.

★

J'ai été accouplé avec Lyle Filbender pour l'exercice sur les œufs, et Missy Shoemaker est une mère célibataire. Je lui ai dit qu'elle ne devrait pas tellement se surprendre de ça, parce que, agressive comme elle est, elle ne pourra jamais garder un homme très longtemps, mais elle m'a rétorqué que c'était son idée de se faire inséminer artificiellement de façon à éviter tout imbroglio désagréable, et ce, pour le bien de son œuf.

— Si tu es à la recherche d'un donneur de sperme, ai-je dit avec un rire gras, je suis à ton service.

Mais elle a affirmé qu'elle préférerait manger de la boue.

— Eh bien alors, arrange-toi toute seule ! lui ai-je répondu avant de m'éloigner.

Les propos de Missy Shoemaker sont parfois terriblement inconvenants. Préférer la boue à mon sperme. Non, mais…

Bien sûr, le fait d'être mon partenaire a mis Lyle Filbender dans tous ses états. Je lui ai dit de regarder le beau côté des choses : au moins, je ne suis pas laid ! Puis j'ai ajouté qu'il allait vraiment devoir contrôler ses humeurs, dorénavant, puisque les œufs sont fragiles et qu'ils cassent facilement si on les frappe à coups de poing dans un accès de rage. Je lui ai aussi offert de lui prêter *Votre côté féminin* pour l'aider à grandir dans son nouveau rôle de père nourricier, et j'ai de plus fait remarquer que nous allions devoir devenir meilleurs en résolution de conflits maintenant que nous étions sur le point de devenir parents. Il a attrapé le devant de son pantalon et il a grogné :

— Tiens, toi, solutionne donc ça !

Il ferait mieux de surveiller son comportement. Je ne veux pas qu'il agisse comme ça devant mon œuf.

★

L'exercice commence vendredi et Lyle Filbender et moi sommes déjà engagés dans une amère bataille pour la garde de notre œuf, que ni lui ni moi n'avons envie de prendre pour la fin de semaine.

— Comment pensez-vous qu'il se sent, l'œuf, en se voyant rejeté par ses parents ? a demandé monsieur Bennet.

J'ai répondu que je ne comprenais pas pourquoi les sentiments de l'œuf passeraient avant les miens, et que je n'avais aucune envie d'être pris avec cet œuf pendant tout le week-end.

— Je suis d'accord ! a approuvé Lyle Filbender.

Je lui ai dit à quel point j'étais content de constater qu'il faisait un effort pour améliorer notre relation. Il a réagi en me pinçant vicieusement et il a demandé à monsieur Bennet d'être assigné à une autre relation, de préférence de la variété hétérosexuelle, ce qui m'a vexé.

— Mon estime de moi-même va en prendre tout un coup si mon partenaire continue à me traiter de cette façon, vous savez, ai-je gémi.

J'ai aussi fait valoir que ce n'était pas le meilleur environnement pour faire grandir un œuf.

— À vous de trouver une solution! a simplement répondu monsieur Bennet. J'espère que cet exercice vous apprend quelque chose.

En fin de compte, c'est moi qui me suis retrouvé avec l'œuf en fin de semaine, parce que Lyle a menacé de me cogner la tête contre un mur si je ne le prenais pas. Je commence déjà à lui en vouloir, à cet œuf.

★

Monsieur Bennet nous a remis nos œufs aujourd'hui. J'ai baptisé le mien Henry, bien que Lyle insiste pour l'appeler Butch. Je lui ai dit que ce serait très mêlant pour Henry, mais il a rétorqué que Butch était pas mal plus intelligent que je le pensais.

— Je connais exactement le degré d'intelligence d'Henry, ai-je affirmé. Mon garçon est un génie ! Et je vais passer toute la fin de semaine à lui expliquer à quel point son autre père est un crétin.

Puis j'ai quitté la classe sans laisser à Lyle le temps de lui dire bonjour.

Avec du recul, je crois que je n'aurais pas dû me servir d'Henry pour faire du chantage émotionnel, mais Lyle Filbender me casse réellement les pieds, parfois, et c'est la meilleure manière que j'ai trouvée pour lui rendre la pareille.

★

J'ai présenté Henry à mes parents ce soir, mais la rencontre a été éclipsée par la nouvelle que la dernière résolution de LAPSLA avait été approuvée haut la main.

— Quelle résolution ? ai-je voulu savoir.

Mon père m'a expliqué que la résolution validait la décision de ne ménager aucun effort pour faire fermer la Mission de la Sainte Lumière.

— Tu parles de la Mission de Jerry ? Celle qui nourrit tous ces gens affamés ?

Mon père a fait oui de la tête, l'air mal à l'aise. D'une voix enthousiaste, le grand-papa Filbender d'Henry – qui était venu nous annoncer la grande nouvelle – a ajouté :

— Le vote a été presque unanime : une seule voix contre ! Avec un tel appui, je suis certain qu'on peut faire bouger les choses !

Plus tard, en privé, j'ai avoué à Henry le rôle que j'avais joué dans l'accident de Marv. Il n'a rien dit, mais je savais ce qu'il pensait.

— Tu penses que notre petit tour pendable a quelque chose à voir avec la résolution, n'est-ce pas ? lui ai-je chuchoté. Tu penses que c'est à cause de moi que la Mission de Jerry va fermer, pas vrai ?

Comme Henry demeurait silencieux, je lui ai dit :

— Cesse de me regarder comme ça.

Et j'ai fait comme s'il n'existait pas pour le reste de la soirée.

Les enfants peuvent être tellement catégoriques dans leurs jugements, parfois.

★

J'ai vu Jerry en revenant de l'école aujourd'hui. Il était à l'extérieur de la Mission et il se disputait avec quelques types – il plaidait avec eux, en fait. Je leur ai demandé si leur querelle avait quelque chose à voir avec la nouvelle résolution de LAPSLA. Ils se sont tous retournés pour me dévisager.

— Quelle nouvelle résolution de LAPSLA ? a demandé Jerry.

— Oublie ça ! ai-je laissé tomber.

Je me sentais mal à l'aise, mais je n'ai pas l'impression qu'ils l'ont remarqué, parce que je me suis sauvé en courant.

J'ai juste eu le temps d'entendre Jerry revenir à sa conversation avec les types et les supplier de trouver refuge pour la nuit prochaine, parce que le mercure allait descendre à moins quarante.

Cette résolution de LAPSLA va l'achever.

★

J'ai été chassé du cinéma cet après-midi à cause d'Henry et, pour le punir, je l'ai laissé dans mon soulier de gym pour plusieurs heures. Toute cette expérience m'a vraiment dégoûté des enfants, et des œufs. Si seulement mes parents avaient consenti à renoncer à leur soirée de concert, ils auraient pu rester à la maison pour garder Henry! Mais à cause de leur égoïsme, j'ai dû le traîner au cinéma. Et là, bien sûr, comme il formait une bosse inconvenante dans ma poche de manteau, le percepteur de billets m'a intercepté.

— Défense d'apporter de la bouffe venant de l'extérieur, m'a-t-il dit après m'avoir tâté.

J'ai eu beau lui expliquer qu'il ne s'agissait pas de bouffe, mais bien de mon précieux fils, Henry, il n'y avait manifestement pas moyen de discuter avec ce type. Et comme je m'apprêtais à aller flanquer Henry à la poubelle, voilà que mademoiselle Thorvaldson est apparue à brûle-pourpoint.

— Où t'en vas-tu avec cet œuf? a-t-elle demandé.

Qu'est-ce que je pouvais faire ? J'ai donné un petit bec à Henry pour lui témoigner ma profonde affection, avant de virer de bord et de sortir du cinéma.

★

J'ai le regret d'annoncer qu'aujourd'hui, quand nous sommes allés faire un tour chez lui, oncle Daryl a refusé de faire des coucous à Henry, et qu'il a même dit des gros mots quand mon fils a essayé de le chatouiller pour rigoler. Vivement indigné en tant que parent, je me suis lancé dans un discours passionné sur le refoulement que pouvait causer un tel rejet sur l'esprit d'un enfant, mais Daryl m'a interrompu en me demandant si je voulais prendre livraison des magazines de filles nues que j'avais mérités en participant à la Nuit de Marv.

— Tu parles ! me suis-je écrié en flanquant Henry sur un tas de vêtements sales.

Quelques heures plus tard, mon sac à dos rempli de revues pornos, je me dirigeais vers la porte quand Daryl m'a dit :

— Et Henry, tu l'oublies ?

— Qui ? ai-je demandé.

Il m'a tendu mon fils.

Il n'y a pas de parent parfait, faut croire.

★

J'ai dû prendre un autre Henry dans le réfrigérateur, parce que mon père a utilisé l'original dans une omelette. Je l'avais rangé avec les autres œufs, parce que j'avais entendu dire que c'était important pour des enfants adoptés d'une autre culture d'en savoir un peu sur leur peuple, et aussi parce que j'en avais marre de l'avoir toujours accroché après moi. Malgré cela, vous pouvez vous imaginer mon choc quand je suis entré dans la cuisine et que j'ai aperçu sa coquille inerte qui reposait sur le comptoir entre le cheddar et les oignons verts. Mon père était mortifié. Il a affirmé que, quand il avait vu Henry installé dans la boîte à œufs, il a pensé que mon projet était terminé. Il n'en finissait pas de s'excuser.

— Il n'est pas un petit peu tard pour te sentir désolé ? lui ai-je dit.

Et je lui ai demandé de bien vouloir jeter les restes d'Henry à la poubelle quand il aurait fini.

★

Cet après-midi, j'ai remis un nouveau Henry à Lyle Filbender. Missy Shoemaker a remarqué la substitution.

— Est-ce que votre œuf n'avait pas les yeux bleus ? a-t-elle demandé.

— Les yeux d'Henry ont toujours été orange, lui ai-je répondu, et je te suggère de te mêler de tes affaires.

— Pas de problème. Étant mère monoparentale de triplés, je n'ai pas beaucoup de temps à perdre avec des vauriens de ton espèce, de toute façon.

Des triplés ? Je ne peux pas supporter Missy Shoemaker. Elle en fait toujours tellement trop.

★

Ma grand-mère a téléphoné pour savoir si j'étais aussi soulagé qu'elle de la dernière résolution de LAPSLA.

— J'imagine, ai-je répondu.

Alors elle m'a rappelé ma responsabilité, en tant que futur propriétaire de commerce, de faire mon possible pour m'assurer que le climat de la communauté locale des affaires soit sain.

— Tu ne peux pas hériter de la fortune de la Maison des toilettes s'il n'y a pas de Maison des toilettes, tu comprends ?

La bouche pleine de Doritos, j'ai marmonné que je n'avais jamais considéré les choses sous cet angle.

— Eh bien, c'est sous cet angle que tu devrais commencer à les considérer, a-t-elle rétorqué sèchement, parce que c'est ça qui est ça. Et mets-toi bien dans la tête, garçon, que le monde est fait de ceux qui sont nantis et de ceux qui n'ont rien, et que si on ne se bat pas bec et ongles toute sa vie pour conserver son bien, ledit bien disparaîtra avant qu'on puisse crier lapin.

Quand je lui ai avoué que ça m'apparaissait pas mal énorme comme boulot et que je préférais rester assis devant la télé, elle ne s'est pas esclaffée comme elle le fait habituellement quand je joue les finfinauds. Elle s'est raclé la gorge et elle a déclaré :

— Quand j'avais ton âge, ça faisait un an que ma mère était morte et enterrée, et je savais déjà comment partager six pommes de terre entre huit bouches affamées. Souviens-toi de ça lorsque viendra le temps d'agir.

Croquant dans une autre croustille, je lui ai solennellement promis de m'en souvenir, et j'ai raccroché.

★

Je fais un grand détour pour revenir chez moi, ces jours-ci, pour éviter de croiser Jerry. Je suis tellement sûr que lorsqu'il va apprendre ce qui se trame au LAPSLA, il va me jouer son violon et me dire que je devrais prendre parti pour lui.

Pourquoi ne me laisse-t-on pas tranquille, enfin ? Je suis bien assez inquiet à me demander comment mon ex-partenaire traite mon fils unique – je n'ai pas besoin du stress additionnel de me retrouver au centre d'une bataille qui va sûrement déchirer la communauté. Bien que je sois sur le point de franchir le cap de la virilité, techniquement, je n'ai tout de même que treize ans. Je n'ai rien à voir avec la destinée de la Mission de la Sainte Lumière.

★

Henry est arrivé à l'école affublé d'un bandeau de pirate, aujourd'hui. Ça m'a tellement bouleversé que j'ai hurlé à pleins poumons et que mademoiselle Thorvaldson m'a fait coucher sur mon pupitre pendant dix minutes.

— Butch m'a dit que ses longs cils orange lui donnaient envie de dégueuler, m'a expliqué Lyle Filbender à l'heure du dîner.

Et notre fils a demandé si quelque chose ne pouvait pas être fait pour lui donner une allure plus masculine.

— Mais... un bandeau de pirate ! ai-je gémi en secouant la tête, désespéré.

— Tu ne l'auras pas avant jeudi, s'est contenté de dire Lyle. D'ici là, je peux bien faire ce que je veux avec lui.

Je suis sûr que Lyle est en train de transformer Henry en voyou juste pour se venger de moi. Rien n'indique où cette mocheté va s'arrêter.

★

Henry a été blessé à mort pendant l'entraînement de hockey de Lyle Filbender, hier soir, et en ce moment, entouré de ruban gommé, il gît dans mon casier et ses entrailles se vident dans mon livre de maths. J'ai ressenti une vive douleur, au début, mais ensuite, nous avons évalué les possibilités, Lyle et moi, et nous avons convenu que le mieux serait de nous procurer un nouvel Henry, alors je vais disposer de celui qui dégouline en rentrant à la maison et en trouver un tout nouveau, ce soir.

— Je suis prêt à lui laisser porter le bandeau de pirate, ai-je même dit à Lyle, pourvu que je puisse lui mettre un nœud papillon.

Lyle n'était pas tellement content, mais il a accepté.

C'est étonnant comme la maladie d'un enfant peut rapprocher deux personnes. Je me sens proche de Lyle Filbender d'une façon que je n'aurais jamais cru possible.

★

Apparemment, Jerry a finalement eu vent de l'attaque qui s'organise contre sa soupe populaire, parce que la tante de Janine Schultz – celle qui fait du bénévolat, à l'occasion, à la cuisine – s'est présentée à la porte pour demander à mes parents de signer une pétition en faveur du maintien de la Mission. Mon père s'est excusé, expliquant qu'à titre d'homme d'affaires de la communauté il ne pouvait se permettre d'avoir son nom sur un document comme celui-là, mais il a offert de faire un don anonyme de vingt dollars.

— À l'heure actuelle, votre voix compte davantage que votre argent, a déclaré la tante de Janine. Mais, a-t-elle ajouté en lui arrachant le billet des doigts, nous allons certainement accepter votre don.

Au moment de partir, elle s'est tournée vers moi.

— À propos, m'a-t-elle dit, Jerry se demande quand tu vas venir faire un tour et l'assurer de ton appui. Il est certain qu'avec toute l'expérience que tu as acquise à nourrir les pauvres, tu vas vouloir faire ce qu'il faut.

J'ai grommelé quelque chose de non compromettant et je me suis éclipsé pour regarder la télé.

Peut-être que si je demeure très discret assez longtemps, tout le monde va finir par m'oublier.

★

Ce matin quand je suis arrivé à l'école, j'ai aperçu Janine Schultz blottie contre Théodore Pinker, qui se servait de sa taille démesurée pour bloquer le vent du nord qui soufflait en hurlant et menaçait de geler les oreilles de toutes les têtes de linotte de la cour de récréation qui refusaient de porter une tuque, soit pratiquement nous tous. Comme elle ne faisait aucun cas de moi quand je suis passé devant elle, je suis revenu sur mes pas et j'ai fait en sorte qu'elle me remarque, mais cette fois en brandissant

Henry et en demandant à Janine des nouvelles de sa propre petite fille, Gwendolyn Rose.

— Notre fille va très bien, merci, a répondu Théodore en passant un bras autour des épaules de Janine et en me montrant les dents.

Janine n'a rien ajouté. J'ai attendu que la cloche sonne, accroupi dans l'abri aménagé dans le mur sud de l'école. Je me sentais étrangement déstabilisé, mais la présence tranquille d'Henry me réconfortait.

Je me demande si la tante de Janine lui a dit quelque chose à propos du fait que je rejette Jerry.

★

J'ai eu une rencontre avec ma jolie psychologue, la docteure Anderson. Je lui ai parlé de mon attachement pour Henry et je lui ai demandé si elle avait des enfants.

— Ça ne te regarde pas, a-t-elle répondu.

Alors je lui ai conseillé de ne pas s'en faire si elle était inféconde, parce que le fait d'être parent n'était vraiment pas ce que c'était censé être – tout en admettant que c'était bien facile pour moi de dire une chose pareille, parce que j'avais Henry. De ma voix la plus empathique, j'ai ajouté :

— Si vous travaillez fort pour réorienter votre énergie maternelle, peut-être que votre ventre stérile ne vous hantera plus autant.

Elle m'a coulé un regard noir et m'a demandé si ça m'arrivait parfois de penser à l'effet que pouvaient avoir mes paroles avant d'ouvrir la bouche.

— Quand je parlais de réorienter votre énergie maternelle, ai-je marmonné, vexé, je ne voulais pas dire que vous deviez constamment me rabrouer.

Elle a mis fin à la séance plus tôt que prévu, ce qui faisait bien mon affaire. Elle est toujours très jolie, mais je la trouve bien critiqueuse, ces jours-ci. Peut-être que notre relation commence à battre de l'aile ; peut-être ai-je besoin d'une nouvelle psychologue.

Mais qui sait, peut-être devrait-elle seulement travailler un peu plus fort pour conserver mon affection. C'est possible que je le lui suggère à la prochaine séance.

★

Le projet se terminait aujourd'hui et nous avons remis nos œufs. Monsieur Bennet a demandé comment nous avions trouvé ça, être parents. Et comme le vieux couple que nous formons, Lyle Filbender et moi avons répondu en chœur :

— C'est dégoûtant !

Toute la classe a ri. Monsieur Bennet a souri et déclaré que ce pouvait être une expérience merveilleuse que d'être parents, pourvu qu'on ait la maturité émotionnelle pour y faire face.

— Ce n'est pas demain la veille ! ai-je crié.

Et je me suis tourné pour toper là avec Lyle, mais il a gardé sa main cachée. Ça m'a blessé, parce que je pensais que nous étions devenus beaucoup plus proches, depuis l'incident de notre Henry dégoulinant. C'est pourquoi je me suis penché pour lui chuchoter qu'il savait s'y prendre pour être un vrai rabat-joie, et là, il m'a roté au nez.

En classe, la discussion s'est poursuivie sur la fragilité des enfants et le fait qu'ils soient si précieux, et monsieur Bennet a demandé si nous trouvions qu'un œuf était un bon substitut pour un enfant.

— Pas vraiment, ai-je répondu.

J'ai fait remarquer que les œufs n'étaient pas très précieux puisqu'on peut en acheter douze pour à peine quelques dollars.

— Je ne pense pas non plus que vous ayez besoin de compliquer les affaires en introduisant toute la question des substituts, ai-je ajouté.

Monsieur Bennet m'a remercié de mon intervention, mais il a dit que ce qu'il voulait faire ressortir, c'est à quel point tant les œufs que les enfants étaient fragiles et vulnérables.

— Si on ne leur donne pas les soins appropriés, si on ne fait pas attention en les manipulant, tant les œufs que les enfants peuvent subir des dommages irréparables, a-t-il affirmé.

Puis il a demandé s'il y en avait parmi nous qui avaient endommagé leurs œufs pendant les sept jours qu'avait duré l'exercice. Il y avait beaucoup d'expressions de culpabilité sur les visages, si vous voulez mon avis, mais seule Missy Shoemaker a avoué avoir craquelé un de ses triplés quand sa minuscule couverture de flanelle cousue main s'est défaite et que l'œuf a frappé le côté de sa couchette de bâtons de *popsicle,* mardi soir, tandis qu'elle le berçait pour l'endormir. Elle a même avoué que c'était sa faute, qu'elle avait omis de vérifier que l'œuf était assez solidement bordé dans sa couverture.

— Tu raconteras ça au juge ! ai-je crié.

J'ai dit à monsieur Bennet que j'espérais que Missy Shoemaker serait rapportée aux autorités et qu'elle coulerait son projet.

Je me suis bien gardé de mentionner les deux Henry de remplacement, parce que je ne voulais pas distraire les gens de l'horreur que leur inspirait la négligence de Missy Shoemaker, et aussi parce que je ne savais pas s'ils comprendraient mes motivations. Ce n'est pas que je ne les aimais pas, les deux premiers Henry, c'est seulement qu'ils ont été cassés, et que l'un d'eux s'est fait manger, et je ne voulais pas présenter à monsieur Bennet un sac plein de marchandise endommagée. De toute façon, rien qu'à voir ce qu'ils disent au sujet de Missy Shoemaker – et son œuf n'a été que légèrement craquelé –, je peux m'imaginer ce qu'ils diraient de moi avec mon œuf complètement détruit. Et par deux fois !

★

Marv a finalement obtenu son congé de l'hôpital, alors John Michael et moi, on s'est arrêtés au dépanneur de sa station-service pour lui souhaiter la bienvenue et lui soutirer quelques gâteaux gratuits. Il en a profité pour nous montrer la pétition qu'il avait préparée pour appuyer la fermeture de la Mission. Il a poussé vers moi un stylo et un autre paquet de gâteaux en me demandant :

— Que dirais-tu d'être le premier à la signer ?

Je ne voulais pas vraiment être le premier signataire, mais je me suis dit que je me sentirais mal de lui refuser ça tandis que je me bourrais de ses gâteaux éponges gratuits. Alors, je me suis léché les doigts, j'ai pris le stylo et j'ai rapidement gribouillé ma signature.

— Veux-tu signer ? ai-je demandé à John Michael en lui passant le stylo.

Il a fait non de la tête et il a redonné le stylo à Marv. Marv n'a pas trop apprécié la chose, selon moi, parce qu'il a regardé John Michael, les yeux plissés, avant de ramasser ses béquilles et de sautiller le long du comptoir pour aller servir un client payant.

Plus tard, quand j'ai demandé à John Michael pourquoi il m'avait embarrassé comme ça devant mon bienfaiteur qui me régalait de gâteaux, il a répondu :

— Parce que je ne voulais pas signer cette pétition.

Dit comme ça, ça sonne tellement simple.

★

Lyle Filbender et moi avons obtenu la mention insatisfaisante pour notre projet d'œuf. Monsieur Bennet a expliqué que cette mauvaise note tenait compte du fait que nous avions omis de lui avouer que nous avions endommagé notre œuf.

— Je veux vous faire comprendre clairement que si vous avez du mal à tenir le coup avec vos enfants, la solution n'est pas de le cacher, mais d'aller chercher de l'aide, a-t-il expliqué.

Je lui ai dit que je n'avais pas la moindre idée de ce qu'il racontait et j'ai affirmé que j'étais un jeune parent parfaitement capable de faire face à la situation. Il a répondu que le dernier Henry, celui que nous lui avions rendu, était cuit dur alors que l'original était cru, alors je suis entré dans une rage terrible et j'ai maudit le jour où Henry était né.

— C'est exactement ce dont je parle, a continué monsieur Bennet. J'espère que tu écouteras avec attention les leçons portant sur le contrôle des naissances.

J'ai roulé de grands yeux découragés. Depuis le temps, il devrait pourtant savoir que je n'écoute jamais rien avec attention.

Après la classe, Lyle Filbender m'a flanqué une tape par la tête, m'accusant d'être responsable de notre note insatisfaisante. Je lui ai dit que j'aurais eu moins de mal à faire face à la situation s'il avait été un partenaire un peu plus aidant, alors il a envoyé voler mon sac Adidas le long du couloir et s'est éloigné à pas furibonds.

Vous ne pouvez pas savoir à quel point je suis content de m'être sorti de cette relation-là.

Cassette n° 3

J'ai su que ce tire-lait me causerait des problèmes dès l'instant où je l'ai appliqué sur mon cou. Si vous voulez mon avis, ces trucs devraient afficher une sérieuse mise en garde.

Jerry m'a accosté cet après-midi au Blue Moon Café, exigeant de savoir si c'était vraiment ma signature qu'il avait vue sur la pétition de Marv.

— Quelle pétition ? ai-je demandé innocemment, en évitant son regard.

— Tu sais très bien quelle pétition, a-t-il répondu.

J'ai attendu qu'il dise autre chose, pour que je puisse l'accuser d'essayer de me faire sentir coupable, mais il s'est contenté de tourner les talons et de quitter le café sans rien ajouter.

★

Ma mère a trouvé un emploi à temps partiel comme conseillère en allaitement ! Le jour où elle nous a emmenés rendre visite à Marv à l'hôpital, John Michael et moi, elle est allée se présenter au service des ressources humaines, et le directeur a été tellement impressionné par son dynamisme qu'il lui a confié la direction des cliniques communautaires d'allaitement.

Après nous avoir annoncé la bonne nouvelle, elle a ajouté qu'elle avait vraiment hâte d'avoir un impact positif sur une population qui avait besoin d'elle.

— Félicitations, ai-je dit. Mais qui peut avoir plus besoin de toi que ta famille ? Les repas chauds ne poussent pas dans les arbres, tu sais.

Elle a haussé les épaules et m'a répondu qu'il était grand temps, de toute façon, que j'apprenne à me débrouiller dans la cuisine.

Me débrouiller dans la cuisine ? J'espère qu'elle n'est pas en train de suggérer ce que je pense. Ma mère est une femme, ainsi qu'une mère. Elle tire une profonde satisfaction personnelle à me nourrir et à tout ramasser derrière moi. Alors que moi, je trouve ces occupations casse-pieds. J'espère qu'elle reconnaît cette nuance entre nos points de vue.

★

Janine Schultz a apporté la pétition de Jerry à l'école aujourd'hui. Elle avait mis du brillant à lèvres à saveur de gomme balloune, et elle arborait un macaron qui affichait : « Sauvez notre soupe populaire. »

— Jerry a dit que tu avais oublié de prendre le tien, a-t-elle dit en m'en tendant un.

Vexé par l'impertinence de Jerry, j'étais sur le point de lui demander si j'avais l'air d'un babillard ambulant, quand je me suis soudain souvenu de la manière dont la couvait Théodore Pinker la semaine dernière, dans la cour d'école. Espérant que Théodore voyait la mère de son enfant en train de me faire de l'œil, j'ai souri chaleureusement en lançant :

— Comme c'est gentil ! Merci beaucoup, Janine.

Elle m'a rendu mon sourire tandis que je prenais le macaron, puis elle a éclaté de rire quand je me suis accidentellement piqué la poitrine en essayant de l'épingler à ma chemise. Avant que je puisse la rabrouer pour son manque de sympathie, elle m'a arraché le macaron des mains en murmurant :

— Tiens, laisse-moi faire.

J'ai figé sur place au moment où elle se penchait vers moi, avec son odeur de gomme balloune et de shampoing de bébé, pour épingler avec délicatesse « Sauvez notre soupe populaire » sur ma chemise.

— Que dirais-tu d'être le premier à signer ma pétition ? a-t-elle minaudé en me tendant un stylo.

Bouche bée, j'ai fait un petit oui de la tête et je suis venu à bout (je ne sais trop comment) de gribouiller mon nom au haut de la page.

Plus tard, dans la salle des dîners, j'ai entendu Théodore Pinker demander à Janine s'il pouvait porter un macaron lui aussi.

— Désolée, Théo, j'en avais seulement un de surplus, a-t-elle répondu.

Alors je me suis permis de faire un petit sourire, qui est demeuré sur mes lèvres jusqu'à ce que Théodore vienne cracher sur mes frites.

Tout ce que je peux dire c'est que, par chance, je mange mes frites avec beaucoup de ketchup. La saveur acidulée a complètement camouflé le goût du crachat de Théodore.

★

Même si j'étais bien content, au début, d'avoir eu l'avantage sur Théodore Pinker, en y repensant, je me suis senti manipulé par Janine – ainsi que par Jerry. Je ne peux pas croire qu'ils aient réussi à me faire signer cette pétition en utilisant les charmes féminins de Janine pour m'aveugler momentanément sur ma propre indifférence. Un coup bas.

★

J'ai entraîné John Michael à la Mission après l'école pour avoir son soutien moral pendant que je reprochais à Jerry d'avoir utilisé les charmes de Janine pour me faire marcher comme ça.

— Je pense que c'était hautement inapproprié de ta part d'abuser de ma faiblesse pour les attraits féminins, ai-je déclaré tandis que

Jerry se réjouissait en louant Dieu de m'avoir fait voir la lumière.

Il est aussitôt devenu sérieux et s'est excusé d'avoir demandé à madame Schultz de me remettre mon macaron.

— Jamais je n'aurais fait ça si j'avais su que tu la trouvais aussi attirante ! s'est-il exclamé. Mais elle a quatre fois ton âge et les cheveux tout gris ! Comment pouvais-je le savoir ?

J'ai roulé de grands yeux désespérés en précisant que je parlais de Janine. Alors il a ri et s'est rappelé que madame Schultz avait mentionné qu'elle demanderait peut-être à sa nièce de me faire la commission.

— C'est ce qu'elle a fait, il faut croire ! s'est-il écrié en me brandissant la pétition au visage. Dis-moi, maintenant, quand peux-tu venir nous aider à installer des écriteaux ? J'ai appris que l'autre partie allait tenter de rallier la communauté pour demander du financement au conseil municipal, et il faut combattre le feu par le feu !

J'ai fait semblant d'hésiter et j'ai fini par lui dire que je consulterais mon agenda.

On allait quitter la Mission quand John Michael, qui était jusque-là resté à mes côtés en gardant un silence obéissant, s'est soudain manifesté pour offrir à Jerry de l'aider de toutes les façons qu'il le pouvait. Jerry en a été touché, et moi, ennuyé, parce que l'attitude serviable de John Michael me donnait l'air d'un goujat antipathique alors que je n'étais, en fait, qu'un goujat indifférent.

— Pourquoi as-tu fait ça ? ai-je gémi à John Michael dès qu'on a eu pris congé de Jerry et qu'on s'est retrouvés au froid.

— Parce que je le voulais, a-t-il répondu en enfonçant sa tuque sur ses oreilles.

J'attendais d'autres explications de sa part, mais il a simplement tourné les talons pour s'en aller chez lui.

John Michael en a beaucoup à apprendre sur la façon d'offrir son soutien moral.

★

Lyle Filbender a apporté l'autre pétition à l'école – celle que j'avais signée pour Marv. Il a attendu que mademoiselle Thorvaldson soit inopinément appelée au secrétariat après les annonces du matin pour me confronter.

— Est-ce que ce n'est pas ta signature, ça ? a-t-il demandé.

En coulant un sourire nerveux à Janine, j'ai fait semblant de l'examiner attentivement avant de déclarer que c'était une brillante contrefaçon.

— Je suis sûr que c'est ta signature, a insisté Lyle à haute voix en faisant un clin d'œil à Théodore Pinker. Je la reconnais aux fioritures que tu utilises.

Quand elle a entendu ça, Janine a froncé les sourcils, a bondi sur ses pieds et s'est avancée pour y voir de plus près.

— Laisse-moi donc examiner ça une autre fois, ai-je dit en tendant la main vers la pétition.

Il me l'a passée avec un sourire féroce. Cinq secondes plus tard, elle volait en petites lanières déchiquetées autour de sa tête.

Quand mademoiselle Thorvaldson est revenue, Lyle me poursuivait à toute vitesse à travers la classe, en hurlant et en bottant les chaises sur son chemin. Missy Shoemaker – à qui la classe avait été confiée pendant l'absence de l'enseignante – soufflait à tue-tête dans son sifflet athlétique pour tenter de ramener l'ordre. Et le reste de la classe criait comme une horde de Romains frénétiques espérant voir un pauvre chrétien (moi) se faire dévorer par un lion (Lyle). Mademoiselle Thorvaldson a mis un bon moment avant de rétablir le calme et, même si j'ai partagé avec elle mon excellente métaphore de chrétien persécuté en suggérant que j'avais assez souffert pour aujourd'hui, elle m'a persécuté encore davantage en me collant une retenue.

Ave, César.

★

On revenait de l'école, John Michael et moi, quand Lyle Filbender et sa bande de voyous de LAPSLA Junior nous ont tendu une embuscade. Ils s'étaient cachés derrière le vieux baril d'huile rouillé dans le terrain vacant près de la Mission et, quand on est passés, ils nous ont bombardés de boules de neige glacée ! Instinctivement, John Michael a foncé derrière le mur le plus proche pour échapper à l'assaut, mais moi, j'étais tellement choqué par cette attaque que j'ai figé sur place, les yeux dans le vide, comme un cerf surpris par les phares d'une voiture, et c'est sans doute ce qui m'a valu de recevoir une boule en plein visage. La vue de mon nez ensanglanté a dispersé nos assaillants et m'a rendu tellement hystérique que John Michael a dû courir chercher Jerry. Après m'avoir traîné à l'intérieur et installé dans un fauteuil, celui-ci m'a bourré les narines de papier essuie-tout tirebouchonné. Puis il a appelé ma mère, qui a accouru, mais qui a refusé de me porter dans ses bras jusqu'à l'auto.

Et là, je suis assis sous une douillette tiède sur le divan de la salle de télé, avec un petit sac de pois congelés pour mon nez endommagé et un gros sac de croustilles au ketchup pour mes émotions blessées, à écouter mes parents se quereller sur la meilleure façon de réagir à l'attaque vicieuse de Lyle Filbender.

Après la pluie le beau temps, comme on dit. Il faut croire que c'est vrai.

★

Pas un mot encore sur la riposte contre Lyle Filbender, mais Daryl est passé voir comment j'allais et ma mère l'a gardé à souper. Il a mangé trois assiettées de pain de viande, même après que je lui eus dit que j'étais pas mal certain que ma mère y avait ajouté du bran de scie, et il m'a affirmé que mon nez enflé me donnait l'air d'un dur à cuire.

— Je suis un dur à cuire, ai-je confirmé.

Je me suis alors lancé dans une histoire compliquée, racontant comment j'avais pulvérisé mes assaillants les uns après les autres. J'achevais de décrire l'imposant colosse poilu qui avait voulu m'écraser avec sa moto Harley-Davidson quand Daryl, après avoir engouffré une cuillérée de petits pois en conserve, m'a lancé :

— John Michael m'a dit que tu t'étais fait frapper en pleine face parce que tu avais oublié de te baisser.

— Il y a deux versions à chaque histoire, ai-je rétorqué avec discernement.

Daryl a haussé les épaules et pris une autre brioche, mais c'était évident que mon commentaire avait semé le doute dans son esprit.

★

Tante Maude et Ruth ont entendu parler de mon nez sanglant. Tante Maude m'a examiné soigneusement et m'a suggéré de me baisser, la prochaine fois. Ruth a appris, je ne sais trop comment, que j'avais signé la pétition de Jerry et elle a sauté à la conclusion que c'est à cause de ma prise de position en faveur du maintien de la soupe populaire que j'ai été attaqué. Elle m'a serré dans ses bras et m'a félicité de m'être fait mutiler pour une bonne cause. J'ai rétorqué qu'aucune cause n'était assez importante pour que je fasse abîmer mon visage parfait aux traits si bien ciselés, et que j'aurais fait à peu près n'importe quoi pour éviter d'être défiguré.

— Et que va-t-il arriver à l'animal qui t'a fait ça? a-t-elle demandé, ignorant complètement ma remarque.

J'ai déclaré que j'espérais qu'il serait accusé de tentative de meurtre, d'autant plus que ce n'était pas la première fois qu'il essayait de me tuer.

— Vous vous rappelez tous le fiasco chez monsieur Miller, n'est-ce pas? ai-je poursuivi avec gravité.

— Mais oui! a répondu ma mère en se tapotant le menton. D'ailleurs, nous n'avons pas fini de payer la franchise sur la fenêtre brisée.

J'ai trouvé ça très peu charitable de sa part, compte tenu du fait que nous parlions d'une tentative de meurtre sur ma personne, alors je me suis tourné vers mon père pour obtenir son soutien.

— Tu es sûr que tu n'as rien fait pour provoquer Lyle Filbender ? s'est-il contenté de me demander.

— J'ai fait ce qu'il fallait faire, si c'est ça que tu veux dire, ai-je rétorqué en jetant un air entendu à Ruth, qui m'a serré dans ses bras une autre fois.

Au bout du compte, ma mère a décidé que je méritais au moins des excuses de la part de Lyle pour la balle de neige qu'il m'a lancée au visage.

— D'accord, a consenti mon père, non sans réticence. Demain matin à la première heure, nous nous rendrons chez les Filbender. On verra bien ce que Lyle père aura à dire là-dessus.

★

Lyle père en avait pas mal long à dire là-dessus, et rien de très sympathique à mon endroit, devrais-je ajouter.

Tout de suite après le déjeuner, nous nous sommes rendus à pied vers la maison des Filbender. J'avais chaud partout et ça n'avait rien à voir avec la tasse de chocolat brûlant que je venais d'avaler pour accompagner mes six gaufres et mon assiettée de saucisses. Non, ce qui me faisait chaud au cœur tandis que je grimpais les marches de la résidence des

Filbender, c'était de savoir à quel point Lyle serait humilié quand on le forcerait à se mettre à genoux pour quémander mon pardon.

Vous imaginez ma surprise, alors, de voir la porte s'ouvrir d'un coup sec avant même que nous ayons appuyé sur la sonnette et d'entendre monsieur Filbender se lancer dans une bruyante harangue sur le fait que j'avais déchiré l'unique copie de la pétition de LAPSLA.

— Tu m'as dit que tu n'avais rien fait pour provoquer ce garçon ! s'est exclamé mon père, consterné.

— Non, ai-je rectifié calmement, j'ai dit que j'avais fait ce qu'il fallait faire.

— Comment peux-tu affirmer une chose pareille ? a explosé monsieur Filbender.

J'ai tenté d'expliquer que, si je n'avais pas déchiré la pétition, Janine m'aurait fait passer pour un tricheur et que ça aurait entaché irrémédiablement ma réputation, mais personne ne m'écoutait. Monsieur Filbender a jeté un formulaire de pétition vierge dans les mains de mon père qui a été pris au dépourvu. Puis il a poursuivi son blabla… Il supposait que LAPSLA pouvait compter sur mon père pour recueillir de nouvelles signatures de façon à remplacer la pétition que j'avais détruite. Puis, aussi abruptement qu'il en était sorti, il a disparu dans sa tanière.

Quand nous sommes revenus à la maison, ma mère a voulu savoir comment ça s'était passé.

— Il n'y a pas eu d'excuses, ai-je annoncé en entrant à grands pas furieux pour aller m'écraser devant la télé. Mais je me suis fait insulter, encore une fois, et papa n'a même pas pris mon parti.

Ma mère a suivi mon père dans la cuisine pour en savoir plus long. Quelques minutes plus tard, je les ai entendus se disputer : il était question de tiraillements entre deux camps opposés, et je dois avouer que d'entendre ma mère prendre mon parti, pour une fois dans sa vie, m'a presque fait aussi chaud au cœur que l'aurait fait la vue de Lyle quémandant mon pardon.

★

Ma grand-mère a téléphoné, ce soir, et elle n'était pas du tout contente de moi. Il semblerait que monsieur Filbender l'ait appelée pour lui raconter cette histoire de pétition déchirée.

— As-tu oublié les six pommes de terre pour huit personnes ? a-t-elle demandé d'une voix frémissante. As-tu oublié ta promesse ?

Je lui ai rappelé que j'avais seulement promis de *penser* à cette histoire de pommes de terre, sans réellement m'engager dans un sens ou dans l'autre sur la question de la soupe populaire. J'ai bien cru qu'elle aurait une attaque. Sa respiration a été laborieuse pendant un moment, mais elle a fini par se reprendre, et elle a haleté que, bien sûr, mes agissements égoïstes lui faisaient de la peine, mais qu'elle blâmait surtout mes parents de ne pas bien m'élever.

— Moi aussi, lui ai-je dit. Peut-être est-il temps de revenir nous voir – ils ont peut-être justement besoin de ton engagement personnel pour secouer le voile de leur complaisance et commencer à agir correctement à mon endroit.

Elle a répondu qu'elle y songerait, et j'espère que ça veut dire qu'elle viendra. Son énorme pouvoir de dépenser et sa tendance à déstabiliser mes parents ont toujours été pour moi un grand réconfort.

★

J'ai retrouvé le formulaire de pétition vierge dans le bac de recyclage, ce matin.

— Tu devrais le mettre en lieu sûr, ai-je fait remarquer à mon père en le lui redonnant. Sinon, tu vas le perdre. Qu'est-ce que les autres penseraient de toi, dans ce cas-là ?

Mon père m'a remercié du conseil, mais plus tard, j'ai retrouvé le même formulaire enfoui dans les ordures de la cuisine, sous un filtre détrempé de marc de café.

J'abandonne. Si mon père ne se soucie pas assez de sa réputation pour courir avec le troupeau, ce n'est pas mon problème.

★

Une journaliste et un photographe du journal *Winnipeg Gazette* se sont présentés à notre porte ce soir. J'étais tout excité. Apparemment, Ruth les aurait appelés pour leur raconter que j'avais été estropié pour une bonne cause, et les rédacteurs ont figuré que ça ferait une formidable histoire d'intérêt communautaire. La journaliste – une charmante jeune personne avec des lunettes en écailles – m'a posé une foule de questions sur l'incident et sur mon engagement auprès de la Mission. J'ai répondu aussi honnêtement que j'ai pu, prenant soin de souligner que Lyle Filbender était un violent psychopathe et que je n'avais pratiquement jamais pensé à la possibilité de recevoir une récompense spéciale en reconnaissance de mon dévouement à la cause. La journaliste scribouillait ses notes avec presque autant d'enthousiasme que le faisait ma jolie psychologue, la docteure Anderson, et ensuite, le photographe – un hippie vêtu d'une veste ornée de perles – a croqué un gros plan de moi – pâle, éploré et pitoyable.

★

J'ai fait la page deux ! Janine a apporté le journal à l'école et l'a montré à la ronde, et je dois dire que je paraissais diablement bien malgré mon expression éplorée et ma blessure grave. L'article disait que j'étais un modèle pour la jeunesse et, bien que le nom de Lyle Filbender n'ait pas été mentionné, on faisait référence à un « fauteur de trouble bien connu », ce que j'ai trouvé tout aussi satisfaisant. La seule ombre au tableau de mon bonheur, c'est que John Michael a refusé de participer à l'adulation débridée que me témoignaient mes camarades de classe admiratifs.

Non, mais, c'est quoi son problème ?

★

J'ai demandé à Daryl son opinion sur le problème de John Michael, mais, plutôt que de me répondre, il m'a retourné la question :

— C'est quoi ton problème, à toi ?

— Mais de quoi tu parles, au juste ? ai-je voulu savoir.

En guise de réponse, il a fouillé dans mon pantalon pour sortir mon sous-vêtement et me le passer au-dessus la tête. Quand je lui ai avoué que je n'en portais pas, parce que mes vieux sous-vêtements s'étaient désintégrés et que les nouveaux étaient trop neufs pour être confortables, il m'a traîné par la boucle de ceinture de mon jean délavé et m'a forcé à marcher sur la pointe des pieds autour de son salon jusqu'à ce que j'aie chanté à tue-tête les trois couplets de *Yankee Doodle*.

Il faut croire qu'il n'est pas au courant que je suis un modèle pour la jeunesse. Je vais peut-être glisser une copie de l'article dans sa boîte aux lettres.

★

À cause de son incapacité à contrôler mon comportement, mon père a été momentanément suspendu par le conseil exécutif du LAPSLA. La nouvelle l'a beaucoup affecté, mais je lui ai rappelé que j'avais subi l'indignité du statut probationnaire quand je travaillais comme camelot. Je l'ai assuré que ces choses-là paraissent pires qu'elles sont, et que, s'il se pliait à la volonté de ses oppresseurs, il reviendrait à la surface très rapidement.

Si je n'étais pas destiné à régner sur une dynastie, je pense que je deviendrais un motivateur. Je suis on ne peut plus inspirant.

★

Horreur et mal de cœur ! C'est abominable ! Une nouvelle à faire dresser les cheveux sur la tête : mes parents ont encaissé le bon-cadeau que j'ai reçu à Noël, celui qui me donne droit à un cours accéléré en danse ukrainienne traditionnelle. Je commence dans trois jours.

— Tu as fait ça pour te venger parce que j'ai ruiné ta réputation auprès de LAPSLA ! ai-je crié à mon père.

Il a protesté que c'était faux, alors je me suis tourné vers ma mère.

— Tu as fait ça pour étouffer tes remords de commencer à travailler la semaine prochaine et de faire de moi un enfant seul à la maison au retour de l'école !

— Ne sois pas ridicule, a-t-elle répondu. Je ne travaille qu'à temps partiel et je serai presque toujours de retour avant trois heures. Non, on a encaissé le bon-cadeau parce qu'il venait à échéance à la fin du mois.

Complètement débiné, je me suis traîné dans la salle de télé pour regarder une partie de golf et ruminer sur mon destin.

Plus tard, j'ai dit à mon père que je n'étais pas près d'oublier sa rancune ni la négligence que ma mère s'apprêtait à m'infliger.

— Tu oublieras, fiston, a-t-il répondu doucement. Ta capacité de concentration est très limitée.

★

Ma mère a rapporté à la maison son matériel de démonstration d'allaitement, qui comprend un sein en plastique. Ce n'est pas le sein le plus séduisant au monde, parce qu'il est perché sur une tige métallique, mais c'est quand même un sein, alors je saisis toutes les occasions pour le zyeuter en cachette. J'ai même essayé de le caresser, de façon à développer ma technique, mais comme il est en plastique dur et froid, je ne pense pas que les habiletés acquises vont me servir dans mes sorties avec des femmes en chair et en os. À moins qu'elles aient des implants mammaires, bien sûr, auquel cas je pense que mes techniques seront parfaitement au point.

★

John Michael est venu chez moi après l'école et, après avoir mangé la collation que ma mère nous avait préparée, on s'est glissés dans sa chambre et je lui ai montré le sein sur sa tige. Il a été impressionné par les détails du mamelon, mais il était bien d'accord pour dire que l'attrait de l'ensemble était quelque peu réduit par la section transversale tridimensionnelle montrant les canaux lactifères gonflés qui se nichaient dans le tissu adipeux. Néanmoins, on l'a caressé à tour de rôle en comparant nos techniques, jusqu'à ce que John Michael me demande à brûle-pourpoint :

— Pourquoi as-tu permis au journal de publier cet article qui te cite comme un exemple pour la jeunesse ? Ils laissent entendre que tu es une sorte de héros de la soupe populaire, alors que tu ne lèves même pas le petit doigt pour aider.

Dépité, je lui ai expliqué que les apparences étaient souvent trompeuses, et que c'était désobligeant de sa part de porter un tel jugement sur moi.

— Ne laissons pas la politique déchirer notre amitié, ai-je ajouté solennellement.

J'ai alors proposé qu'on essaie un soutien-gorge de ma mère sur le sein et qu'on s'exerce à en défaire l'agrafe d'une seule main. À mon soulagement, John Michael a trouvé l'idée amusante et il a consenti à laisser tomber le sujet embarrassant de mon comportement opportuniste.

★

J'ai eu mon premier cours de danse ce soir. Le professeur est un Ukrainien pure laine qui s'appelle Vlad Baryluk et il m'a fait travailler jusqu'à ce que je manque de m'effondrer. Bien que l'énergie, l'ardeur et la flexibilité soient importantes, a-t-il expliqué, c'est la forme physique qui est la base de la danse traditionnelle ukrainienne.

— Et dans le peu de temps que nous avons pour travailler ensemble, a-t-il ajouté en se frappant les mains à coups de poing, j'ai l'intention de vous soumettre à un entraînement intensif qui vous donnera la meilleure forme physique que vous ayez eue de toute votre jeune vie.

On a pris notre place et j'ai eu l'impression de vivre un cauchemar. Courez ! Sautez ! Tournez ! Encore ! Les yeux par en haut ! Les bras le long du corps ! Coup de pied par en avant ! Encore un autre ! J'étais à côté d'une fille appelée Félicité, une espèce d'andouille qui manquait totalement de coordination. Elle passait son temps à se mettre dans le chemin de mes membres qui se faisaient aller. Elle, elle a prétendu que c'était moi qui manquais de coordination, en plus de me dire que j'étais petit et peu attirant. Après le cours, je suis allé me plaindre à Vlad au sujet de ses insultes à peine voilées, mais il s'est contenté d'en rire.

— La sueur est un tonique pour l'âme blessée ! a-t-il dit.

Et de but en blanc, je me suis retrouvé à m'esquinter dans une série de dix demi-pompes qui m'ont mené au bord de l'épuisement.

Vlad ferait mieux de cesser de vanter les bénéfices de la sueur. Sinon, je n'arriverai pas du tout à apprécier son art.

★

Je me suis fait une sucette, ce soir, avec le tire-lait de démonstration de ma mère. Là, il va falloir que je fabrique une histoire à propos d'une vigoureuse séance de baisers avec une mystérieuse femelle, car enfin c'est plutôt chouette, les sucettes, mais pas si on se les fait soi-même avec l'aide du tire-lait de démonstration de sa mère.

À l'avenir, je vais me tenir loin de son attirail d'allaitement. J'aime bien le sein en plastique, ça oui, mais j'ai su que ce tire-lait me causerait des problèmes dès l'instant où je l'ai appliqué sur mon cou. Si vous voulez mon avis, ces trucs devraient afficher une sérieuse mise en garde.

★

J'ai dit aux gars de l'école que je m'étais plongé dans une folle étreinte avec une fille de mon cours de danse appelée Félicité. Ils ont ricané, ils ont blagué, ils se sont bousculés pour mieux regarder ma sucette et là, avant que je puisse faire quoi que ce soit, les rumeurs les plus folles se sont répandues au sujet de Félicité et moi.

Avec le recul, je me sens un peu mal que le nom de Félicité soit traîné dans la boue, comme ça, mais je dois penser à ma propre réputation, après tout, et personne ne va me considérer comme un étalon si je ne me vante pas de mes conquêtes occasionnelles. Et de toute façon, je ne le sais pas, moi, si Félicité n'est pas justement la fille facile que les gars ont décrite. Si ça se trouve, il se pourrait que les rumeurs à son sujet soient même en dessous de la vérité !

Plus j'y pense, plus je me rends compte que la vraie leçon, ici, c'est que l'on ne devrait pas juger une personne trop durement jusqu'à ce que la personne sur laquelle cette première personne a lancé les rumeurs ait montré ses vraies couleurs.

★

J'ai essayé d'être super gentil avec Félicité ce soir pendant le cours de danse. J'ai fouillé son visage attentivement, à l'affût d'indices qui me permettraient de croire qu'elle songe à se compromettre avec moi à cause de ma courtoisie nouvelle, mais c'est une fille très sournoise qui cache bien ses intentions sous le masque d'une extrême exaspération à mon endroit. Il faut dire que je lui ai continuellement pilé sur les pieds avec mes souliers de danse neufs trop fringants. Après le cours, tandis qu'elle boitillait vers le vestiaire, je l'ai entendue parler de moi aux autres filles en me traitant de rustaud et de maladroit.

Moi, un rustaud ? Un maladroit ? En plus d'être sournoise, Félicité est également sans-cœur. Ne sait-elle pas qu'une personne peut être blessée quand on lui crie des noms ? Sans parler de l'embarras que cette personne peut ressentir à être le sujet de commérages de vestiaire qui ne sont même pas vrais ! Je ne suis ni rustaud ni maladroit, j'ai simplement du mal à m'habituer à mes nouveaux souliers.

Vraiment, cette Félicité n'a que ce qu'elle mérite.

★

Il y a eu escalade dans les rumeurs qui circulent au sujet de Félicité et moi, ces derniers jours. Elles atteignent un niveau dramatique : l'effervescence est à son comble et l'école ne parle plus que de notre rencontre sexuelle imminente. Je me suis abstenu de commentaires sur ces commérages, mais je me suis infligé plusieurs autres sucettes à l'aide du tire-lait de démonstration de ma mère, et c'est évident que j'ai atteint un niveau inestimable de respect de la part de mes camarades de classe. Sauf pour les camarades féminines, bien sûr. Ces camarades-là pensent que je suis un cochon.

★

Monsieur Bennet m'a pris à part, aujourd'hui, et m'a dit qu'il entendait des rumeurs troublantes à mon sujet. Aussitôt sur la défensive, je me suis écrié :

— Si vous avez entendu dire que j'étais maladroit pendant le cours de danse, c'est un odieux mensonge !

Quand il a précisé que la rumeur voulait que je sois en train de devenir actif sexuellement, je lui ai fait un sourire lubrique et plusieurs clins d'œil suggestifs.

— J'espère que tu n'oublies pas les leçons importantes que nous avons apprises dans le cours d'éducation à la vie familiale, a-t-il dit en grimaçant, parce que je ne veux voir personne se faire blesser.

Je l'ai remercié de sa sollicitude, mais je lui ai dit de ne pas s'inquiéter.

— Je suis assez intelligent pour ne pas m'engager émotionnellement avec une fille comme Félicité, ai-je déclaré. Du reste, elle n'est intéressée qu'à une seule chose, et je ne parle pas d'un engagement sérieux, si vous voyez ce que je veux dire.

Après quelques autres clins d'œil et un gloussement rauque et obscène, je me suis éloigné à grands pas nonchalants, la tête bien haute. Monsieur Bennet interprétera mes paroles comme il voudra, mais il ne pourra jamais m'accuser de ne pas lui avoir révélé la vérité : le fait est que Félicité n'est intéressée qu'à une seule chose. J'en suis absolument certain : elle voudrait me voir tomber raide mort.

★

À la suggestion de monsieur Bennet, la docteure Anderson m'a convoqué à une séance impromptue, aujourd'hui, dans le but de savoir si je me posais des questions à propos des femmes.

— Pas du tout, ai-je répondu.

Et je lui ai dit que j'étais un grand amateur de femmes, à moins qu'elles ne soient agressives ou qu'elles utilisent leur intelligence de façon à rabaisser les hommes.

— Pouvez-vous me blâmer? lui ai-je demandé en riant.

Mais elle a simplement griffonné quelques notes dans mon dossier.

J'espère que la docteure Anderson ne tirera pas ombrage de mes commentaires. C'est vrai qu'elle est trop intelligente, mais comme elle est également très attirante, les deux s'annulent, pour ainsi dire. J'aurais peut-être dû clarifier ma pensée.

★

Coïncidence on ne peut plus catastrophique : Félicité se trouve à être la nièce de mademoiselle Thorvaldson ! Apparemment, mon enseignante a eu vent des rumeurs et, comme le prénom Félicité est assez inhabituel et que sa nièce, qui porte ce prénom-là, suit justement des cours de danse ukrainienne, elle a mis deux et deux ensemble et conclu que la Félicité dont les gens parlaient était sa jeune parente.

Quand elle m'a mis ça sous le nez, j'ai poussé un sifflement.

— Vous avez dû être déçue quand vous avec appris ce que Félicité s'apprête à faire, ai-je dit.

J'étais certain que je m'en tirerais mieux si j'arrivais à convaincre mon enseignante que la rumeur que j'avais lancée n'était pas un mensonge de A à Z. Mais ça n'a manifestement pas fonctionné, parce qu'elle va me faire venir devant la classe, demain, pour que je puisse démentir la rumeur et avouer que je n'ai jamais eu le moindre contact physique avec cette petite garce rusée de Félicité. Là-dessus, mademoiselle Thorvaldson s'est montrée inflexible, même après que je lui eus expliqué l'embarrassante origine de mes sucettes et que je lui eus fait remarquer à quel point ça me ferait paraître ridicule aux yeux de mes pairs.

— Est-ce qu'on ne pourrait pas parler des sucettes seulement, ai-je supplié, et mettre la faute sur l'esprit mal tourné des gars de la classe ? De cette façon, on serait tous gagnants : ma réputation serait sauvegardée et les gens continueraient à considérer votre nièce comme une fille agréable, même si elle ne va pas jusqu'au bout. Il n'y a rien de mal à avoir la réputation d'être agréable, pas vrai ? ai-je fait valoir avec un sourire plein d'espoir.

Mais il faut croire que mademoiselle Thorvaldson ne le voit pas de cet œil. Il doit y avoir quelque chose qui m'échappe.

★

J'ai appris une leçon très importante à la suite de cette histoire avec Félicité : c'est très humiliant de se rétracter en public. Et si les gars se montrent impitoyables quand ils se rendent compte qu'ils ont été manipulés comme une bande de crétins, la réaction des filles est définitivement bien pire encore. Pour une raison inexplicable, mes camarades de classe de sexe féminin ont continué à me traiter comme si j'étais un cochon, et ce, même si je sors indemne de la rumeur que j'avais aidée à propager. Allez y comprendre quelque chose ! J'ai fait remarquer à Missy Shoemaker qu'il n'y avait aucune raison de continuer à me traiter de la sorte, parce qu'en fait je n'ai jamais profité de… c'est quoi son nom, déjà ? Pour toute réponse, elle m'a grogné au nez :

— Oink, oink.

Et elle m'a demandé si je prévoyais sortir avec l'aspirateur de ma mère en fin de semaine.

J'ai ricané dédaigneusement et j'ai expliqué que l'aspirateur de ma mère était vertical, et pas à chariot, ce qui le rend virtuellement inapte à produire une succion d'importance sur ma peau.

Quelle idiote, cette Missy Shoemaker ! Difficile de croire qu'une fille puisse en savoir si peu sur les aspirateurs.

★

Aujourd'hui, quand je suis arrivé au cours de danse, Félicité s'est précipitée à ma rencontre.

— J'ai entendu parler des rumeurs dégoûtantes que tu colportes, a-t-elle glapi, et je vais demander à Vlad de me changer de place.

Heureusement, Vlad n'a pas pu accéder à sa demande, parce qu'aucune autre fille ne s'est portée volontaire pour changer de place avec elle. Je me réjouissais que ces intentions malveillantes à mon endroit aient été contrariées jusqu'à ce que, quinze minutes plus tard, elle pivote sur elle-même pour me porter un violent coup de pied en plein ventre et là, je suis resté plié en deux sur le plancher de danse, le souffle coupé. J'ai pris cet incident comme prétexte pour me prélasser sur la ligne de côté en invoquant la blessure et l'épuisement, mais ce fut une grave erreur, parce que Vlad, après le cours, m'a ordonné de me joindre à lui et à son groupe de danseurs plus avancés pour sa séance de jogging matinal du samedi.

— Tu es en train de t'effondrer ! s'est-il écrié. Il faut faire quelque chose avant qu'il ne soit trop tard.

Je lui ai dit qu'il rêvait en couleurs et que jamais mes parents ne permettraient une chose pareille, mais quand ma mère est venue me chercher, elle a trouvé l'idée formidable. Alors Vlad a déposé le sandwich au saucisson à l'ail et à la choucroute qu'il grignotait entre les cours. Serrant mes biceps de ses mains robustes, il m'a soufflé au visage des mots inspirants jusqu'à ce que je vienne tout près de m'évanouir sous les émanations.

★

Tel que promis, Vlad s'est présenté à ma porte, ce matin, avec une troupe complète de jeunes bien charpentés qui portaient tous le même survêtement.

— Vous n'êtes pas sérieux ! ai-je protesté, grelottant dans mon pyjama de Schtroumph. Il fait moins vingt dehors !

En guise de réponse, un des jeunes s'est envoyé par en arrière pour atterrir sur ses mains (nues) et il s'est mis à lancer des coups de pieds dans les airs tandis que les autres applaudissaient en cadence et criaient :

— Hep ! Hep ! Hep !

Je suis monté dans ma chambre en ronchonnant, je me suis changé et je les ai rejoints dehors, et là, je me suis mis à courir aussi lentement que je pouvais. Après quelques minutes, je voyais que Vlad et les gars commençaient à s'impatienter, alors j'ai haleté :

— Allez-y, vous autres, prenez de l'avance. Je vais vous rattraper, c'est promis !

Bien entendu, je n'avais pas la moindre intention de les rattraper. Mon idée était de virer de bord et de retourner me coucher aussitôt qu'ils auraient quitté mon champ de vision, mais voilà qu'en tournant le coin au haut de la rue, je suis tombé face à face avec un attroupement !

Il y avait là Marv, Félix, monsieur Filbender et les autres membres de LAPSLA qui faisaient du piquetage devant la Mission de la Sainte Lumière, tandis que la bande de Jerry leur enjoignait de cesser d'obstruer la porte et de laisser passer ceux qui devaient entrer. J'imagine qu'il y avait déjà eu bousculade et échange d'insultes, parce que la police était là, ainsi que les médias, qui prenaient des photos et interviewaient les gens. C'était exactement le genre de scène dont je ne voulais pas faire partie, mais comme je m'esquivais furtivement, j'ai entendu quelqu'un crier mon nom. En me retournant, j'ai reconnu la jeune journaliste aux lunettes en écailles. Elle accourait vers moi.

— Tu es un grand partisan de la soupe populaire, m'a-t-elle lancé en me flanquant une audiocassette sous le nez. Mais nous avons appris, récemment, que ta famille possède un commerce dans le quartier et que ton père est un membre actif de LAPSLA. Vas-tu traverser les lignes de piquetage ou appuyer ta famille ?

J'ai vécu là un moment horrible, d'autant plus horrible que je voyais l'équipe de tournage de la chaîne de télé CTY sortir de sa camionnette pour se déployer sur les lieux. J'ai repensé aux affirmations que j'avais faites dans mon article en page deux et je me suis demandé quelle réputation ça me ferait si je me rétractais, aujourd'hui. Par contre, j'ai pensé à quel point Marv et ma grand-mère seraient furieux si je ne me rétractais pas. Puis j'ai aperçu Jerry qui me regardait par la fenêtre crasseuse de la porte de la Mission. Il avait l'air tellement déconfit que je n'ai pas eu le cœur de le laisser tomber, en tout cas pas devant tout ce monde-là. En bougonnant, j'ai donc traîné mes godasses enneigées vers l'autre côté de la rue, puis je me suis lentement faufilé à travers la ligne de piquetage et jusque dans le local de la Mission.

Et là, un boucan infernal a éclaté. Du dehors, Marv frappait dans la porte de la Mission en hurlant :

— Fini les gâteaux gratuits pour toi, ti-gars !

Mais à l'intérieur, Jerry jubilait.

— Les actes sont plus éloquents que les mots ! a-t-il crié en gambadant joyeusement.

J'ai eu beau lui expliquer que ça ne voulait rien dire, que j'avais agi dans un moment de faiblesse, mes phrases ont été enterrées sous les voix qui entonnaient en chœur *Amazing Grace*.

★

Mes parents et moi avons regardé le reportage où j'étais en vedette au téléjournal de 18 h. En dépit de mes appréhensions concernant la réaction de LAPSLA, je dois admettre que c'était excitant de voir ma silhouette de fidèle partisan se frayer silencieusement un chemin dans la neige jusque dans la Mission. Qui aurait dit que quelqu'un pouvait paraître aussi bien avec des jambières ?

Après le reportage, j'ai demandé à mon père pourquoi il ne s'était pas joint aux autres pour faire du piquetage. Il m'a rappelé qu'il avait été suspendu de LAPSLA. J'y ai réfléchi pendant un moment.

— Et alors, es-tu fâché que j'aie franchi la ligne de piquetage ?

Il m'a jeté un regard bizarre, puis il a fait non de la tête et m'a embrassé.

★

Tante Maude et Ruth m'ont vu au bulletin de nouvelles de fin de soirée et elles viennent de téléphoner pour me féliciter. Tante Maude a eu du mal à placer un mot dans la conversation tellement Ruth était enthousiaste.

— Je savais bien que tu finirais par développer ta conscience sociale, s'est-elle exclamée, et que tous ces rassemblements auraient un effet sur toi – que tu comprendrais que la vie, ce n'est pas que des hot-dogs, des vieilles reprises à la télé et ton petit toi-même !

Là, je lui ai dit de cesser de rabaisser des choses qui me tiennent tant à cœur – mais elle a sans doute cru que je blaguais, parce qu'elle a ri comme une folle. Elle a ajouté que de voir ce genre de transformation chez quelqu'un comme moi renouvelait sa foi en l'humanité, en plus de la rendre très, très fière.

— Idem pour moi, a dit tante Maude, un sourire dans la voix. Ne lâche pas, champion !

★

Lorsque John Michael est venu me cueillir pour aller à l'école ce matin, il avait la bouche fendue jusqu'aux oreilles.

— Je t'ai vu aux nouvelles, hier soir, a-t-il dit. Tu as raison. Il faut croire que les apparences sont souvent trompeuses.

Il était tellement content de découvrir que je n'étais pas un visage à deux faces que je ne me suis pas donné la peine de le corriger, et quand Janine s'est précipitée vers moi pour me sauter au cou, je ne me suis pas donné la peine de rectifier les faits pour elle non plus, même que je l'ai serrée très fort. Tout le monde était impressionné par ma traversée des piquets, sauf Lyle Filbender et Théodore Pinker, qui chuchotaient dans un coin en me fusillant du regard, et Missy Shoemaker, qui s'est ruée sur moi pour me dire que j'étais à peu près aussi authentique qu'un billet de trois dollars.

— Ce n'est pas très gentil, ça, Missy, lui ai-je murmuré en prenant la main de Janine. Je… je sais bien que je suis seulement une personne, mais je fais ce que je peux.

Plus tard, j'ai demandé à mademoiselle Thorvaldson si elle m'avait vu aux nouvelles, et elle a marmonné que oui. Je m'attendais à une profusion de compliments pour mon comportement désintéressé, mais elle m'a seulement demandé de quitter la salle du personnel pour pouvoir dîner tranquille.

★

C'était la finale de la danse ukrainienne ce soir. Ma performance aurait été époustouflante si Félicité-la-trouble-fête ne s'était pas brisé l'orteil sous mon pied durant le deuxième numéro. Elle s'est affalée comme une poche de patates en me faisant paraître ridicule devant tout l'auditoire. Puis elle a eu une ovation debout de trois minutes quand elle est sortie de scène en boitillant, sans aide. Moi, par contre, j'ai eu pratiquement zéro applaudissement quand j'ai exécuté une routine impromptue de *break dancing* pour essayer de ramener l'attention sur moi. Voilà une injustice flagrante. La danse traditionnelle ukrainienne a ses charmes, mais rien ne se compare à la danse du ver de terre.

★

Ma grand-mère a téléphoné pour dire que toutes ces folies à propos de la foutue soupe populaire sont allées trop loin et qu'elle arrive en ville pour me ramener dans le droit chemin avant qu'il ne soit trop tard. J'ai tenté de la calmer en l'assurant que, dans mon for intérieur, personne d'autre que moi n'avait plus à cœur mes propres intérêts.

— Ton for intérieur ne vaut pas plus cher qu'une montagne de haricots, a-t-elle glapi.

Alors là, je lui ai dit que si mes singeries l'avaient fâchée à ce point, ça ne me ferait pas de peine si elle décidait d'aller rester avec Ruth et tante Maude plutôt que de s'installer chez nous.

— Mais à quoi cela servirait-il ? a-t-elle répliqué. Je ne peux pas ramener mon petit-fils dans le droit chemin si je ne suis pas à ses côtés pour lui montrer comment faire les choses. Du reste, a-t-elle enchaîné avec un brin d'irritation, juste de penser à la partenaire de Maude me donne des spasmes ! Au moins, ton père est un homme, enfin... plus ou moins.

Je lui ai dit que mon père serait content d'apprendre qu'elle le considérait comme cela. Elle n'a pas toujours tenu des propos aussi positifs sur sa masculinité, vous savez.

Bien sûr, mes parents sont dans tous leurs états à la perspective de son arrivée prochaine. Ma mère gémit qu'elle a son quota de soucis entre son nouvel emploi et ses efforts pour manifester un soutien égal à mon père et à moi dans nos débats publics autour de la soupe populaire, et qu'elle n'a vraiment pas besoin de voir sa mère débarquer pour nous enquiquiner, par-dessus le marché. Mon père n'a rien dit de précis, mais chaque fois que quelqu'un évoque la visite de ma grand-mère, il se penche et se met la tête entre les genoux. Je ne m'y connais guère en la matière, mais j'ai comme l'impression que ce n'est pas bon signe.

★

Ma grand-mère est arrivée ce soir. Mes parents et moi sommes allés la cueillir à l'aéroport parce que tante Maude était en salle d'opération et que Ruth est en rogne depuis que je lui ai confié que ma grand-mère avait des spasmes rien qu'à penser à elle. Nos retrouvailles ont été très touchantes. Ma grand-mère s'est extasiée sur l'air merveilleux que nous avions tous – sauf ma mère qui semblait lasse et mal fagotée, et mon père qui paraissait avoir ratatiné. Mais cet échange de civilités fut de courte durée, parce que, pendant tout le trajet entre l'aéroport et la maison, ma grand-mère ne nous a entretenus que d'un seul et même sujet : ses plans pour gagner la bataille contre la soupe populaire. Elle veut, entre autres, inciter les médias à parler des problèmes causés par les indésirables qui fréquentent la Mission, et transformer notre salle à manger en « centre de crise », de façon à donner à LAPSLA un quartier général permanent d'où l'organisme pourra travailler.

— Et je m'attends à de grands résultats de votre part, a-t-elle déclaré, le doigt pointé vers mon père, tandis qu'il s'échinait à traîner (sans aide) ses trois gigantesques malles de capitaine dans l'escalier de la façade. Soyez prévenu que je considérerai les prochaines semaines comme le test ultime de votre compétence.

— Moi aussi, a-t-il haleté en s'effondrant dans le hall d'entrée.

Eh bien, au moins ils sont sur la même longueur d'onde. C'est déjà ça.

★

Le *Winnipeg Gazette* a publié deux articles sur des gens de la rue à l'allure rebutante : on écrit qu'ils passent leurs journées à harceler les citoyens ordinaires ou à traîner dans les lieux publics avant de se diriger vers la Mission pour souper. Quand, obéissant aux ordres de ma grand-mère, j'ai appelé Jerry pour lui dire que j'étais devenu réticent à soutenir la cause d'une telle bande de dégénérés, il a rétorqué que la plupart des clients de la Mission ne vivent pas dans la rue, et qu'un grand nombre de ceux qui y vivent effectivement souffrent de maladie mentale et ne peuvent donc pas être tenus responsables du piètre état de leur situation. Cette information m'a tellement étonné qu'aussitôt après avoir raccroché, j'ai téléphoné à la journaliste aux lunettes en écailles pour lui refiler l'information.

— C'est intéressant, a-t-elle dit, mais j'ai bien peur que ce ne soit pas sous cet angle que nous voyions cette histoire.

Quand je lui ai demandé ce que les angles avaient à voir avec les faits, elle a dit qu'elle devait raccrocher.

★

Depuis quelques jours, Ruth me laisse des messages stimulants sur le répondeur. Ils m'incitent surtout à emprunter les chemins les moins fréquentés et à ne pas fléchir quand des ogres difformes à l'esprit étroit et mesquin se ruent sur moi dans l'espoir de me faire changer d'avis et de m'entraîner hors de la voie de la justice sociale.

— Je sais qu'elle te donne des spasmes, ai-je dit à ma grand-mère cet après-midi alors que je faisais rejouer un énième message, mais est-ce qu'elle n'a pas l'art de tourner les phrases avec élégance ?

En guise de réponse, ma grand-mère a produit un petit bruit – on aurait dit qu'elle recrachait une boule de fourrure –, et elle a quitté la pièce d'un pas altier.

★

Le *Winnipeg Gazette* a publié un autre article, qui met l'accent, cette fois, sur d'honorables commerçants locaux qui, sans rien avoir contre la Mission, ont tellement à cœur de préserver la sécurité dans la communauté (en toute justice pour les honnêtes citoyens) qu'ils se sentent forcés d'en appuyer la fermeture. Monsieur Bennet a découpé l'article et nous en avons discuté pendant le cours d'éducation à la vie familiale. Presque aucun élève n'a été dupe de la façon dont l'article essayait de décrire les commerçants comme des héros. Janine a fait remarquer que c'est en désespoir de cause que les gens viennent à la soupe populaire.

— Et s'ils n'ont pas d'autre choix, a-t-elle dit, que vont-ils faire si la Mission est forcée de fermer ?

John Michael a ajouté que nous serions surpris de savoir qui vient manger là : ce sont pour la plupart des gens ordinaires, comme nous tous. En entendant ça, Lyle Filbender a roulé de grands yeux découragés et a demandé à monsieur Bennett quel rapport il y avait entre la soupe populaire et le cours d'éducation à la vie familiale.

— Un rapport important, a répondu notre enseignant, si c'est là que ta famille va souper.

— C'est bien beau, toute cette discussion, a claironné Missy Shoemaker, mais le fait est que ça n'augure pas bien pour la Mission en ce moment.

Le père de Missy, qui travaille à la Ville comme fonctionnaire principal, a entendu dire que les pétitions ont été déposées, et qu'il y a beaucoup plus de signatures en faveur de la fermeture que pour le maintien de la Mission.

— Les articles de journaux n'ont pas aidé non plus, a-t-elle affirmé. Et le maire s'inquiète de l'impact que pourrait avoir le fait d'octroyer une subvention à un lieu pareil dans une année électorale.

Et là, toute la classe s'en est mêlée – sauf moi, s'entend. Ma grand-mère a toléré tous mes caprices depuis qu'elle a débarqué de l'avion. Il me semble que c'est la moindre des choses que je lui rende la pareille en me taisant.

★

Ce soir, après avoir englouti une demi-bouteille de Maalox pour protéger son estomac fragile contre les assauts culinaires de ma mère, ma grand-mère a présidé sa première assemblée de LAPSLA à titre de présidente honoraire.

Un événement historique, marqué d'une longue ovation debout à la fin de son allocution d'ouverture et de nombreux échanges enflammés sur les violentes réactions déclenchées dans le public par le dernier article du *Winnipeg Gazette*. Il semble que bon nombre d'honnêtes citoyens n'aient pas été leurrés, eux non plus, par la façon dont on tentait de faire passer les commerçants pour des héros, et que les lettres à l'éditeur dans le journal d'aujourd'hui affirmaient des choses assez préjudiciables sur LAPSLA. Ma grand-mère a dû frapper sur la table de la salle à manger à plusieurs reprises avec un lourd maillet de bois avant de rétablir l'ordre et de donner la parole à mon père, qu'elle avait mandaté pour déterrer des saletés sur Jerry et sa bande. À sa grande déception, cependant, il n'avait pas trouvé le moindre truc à leur reprocher, et l'assemblée a été levée peu après.

Une fois tout le monde parti, ma grand-mère a voulu vérifier si la soirée avait influencé correctement ma façon bizarroïde de considérer la place des soupes populaires dans le monde du commerce, mais ma mère a déclaré qu'il était tard et que je devais aller me coucher. Quand ma grand-mère a rouspété que c'était inhumain d'envoyer un garçon de mon âge au lit sans une collation digne de ce nom, et qu'elle m'a tendu une autre tranche géante du gâteau au chocolat dont elle m'avait laissé me gaver avant le souper, ma mère a catégoriquement refusé de me laisser manger. Là, ma grand-mère a mis en doute son jugement et ma mère l'a rembarrée avec irritation.

Bien que je ne sois pas le gars qui se mêle de ce qui ne le regarde pas, d'habitude, je vais peut-être devoir parler à ma mère de son attitude intraitable. Ma grand-mère a manifestement beaucoup de sagesse, qu'elle partagerait volontiers si ma mère n'était pas toujours sur la défensive.

★

J'ai parlé à ma mère de son problème d'attitude et elle ne l'a pas très bien pris. Elle a qualifié mon commentaire de grossier et d'importun, m'a fait un long discours ennuyant sur mon propre problème d'attitude et a conclu en affirmant que je n'avais aucune idée de ce que c'était que d'essayer de traiter avec une femme aussi entêtée et difficile que ma grand-mère.

— Oh, je pense que j'en ai une idée, ai-je répondu en lui coulant un regard entendu.

Alors là, elle s'est pincé les lèvres et m'a envoyé dans ma chambre.

Non, mais… j'aurais pensé que ma mère apprécierait l'allusion au fait qu'elle se transforme en sa mère plutôt que de réagir de façon aussi impertinente. Oh là là, son problème doit être plus sérieux que je le pensais !

★

Comme la majorité de la classe est en faveur du sauvetage de la Mission de la Sainte Lumière, monsieur Bennet a proposé un jeûne de vingt-quatre heures pour amasser des fonds et manifester notre soutien.

— Ça pourrait être une bonne façon d'attirer l'attention sur la situation critique des gens qui comptent sur la soupe populaire pour se remplir l'estomac, a-t-il dit.

— Qu'entendez-vous, au juste, par un jeûne de vingt-quatre heures ? ai-je demandé, tremblant dans mes souliers.

— Ne rien manger pendant vingt-quatre heures, a-t-il précisé.

— Qu'entendez-vous, au juste, par rien ? ai-je glapi, tremblant encore plus fort.

— Par *rien*, je veux dire *rien du tout*, a-t-il répondu en souriant. Tu boiras toute l'eau que tu voudras, mais c'est tout. Qu'en penses-tu ?

Je pensais que c'était encore plus inhumain que quand ma mère refusait de me laisser manger du gâteau au chocolat avant d'aller au lit, mais je n'avais pas encore trouvé les arguments raisonnables pour réfuter cette absurdité quand Missy Shoemaker m'a fait un grand sourire.

— Je crois que c'est une idée formidable ! a-t-elle déclaré. Pas toi ?

J'ai failli me laisser aveugler par la folle envie de faire claquer son soutien-gorge en guise de représailles pour m'avoir mis sur la sellette, comme ça, mais là, j'ai vu Janine et John Michael qui me fixaient et qui comptaient sur mon appui, alors j'ai retroussé les lèvres dans une grotesque imitation de sourire et j'ai coassé :

— Tu parles que c'est une bonne idée !

On a passé le reste de la période à dresser des plans. Monsieur Bennet nous obtiendra la permission de passer la nuit au gymnase ; Janine va se charger de prévenir Jerry ; Missy Shoemaker va préparer les fiches de souscription. D'un air lugubre, j'ai offert de communiquer avec les médias. Seuls Lyle Filbender et Théodore Pinker ont refusé de participer, et je ne peux pas dire que c'est une grosse perte.

★

J'ai téléphoné à monsieur Fitzgerald, mon ex-patron du *Winnipeg Daily News*, pour l'informer de notre jeûne de vingt-quatre heures et lui proposer de faire une interview avec moi, qui serait non exclusive et payante. Mon offre, pourtant aimable, n'a pas semblé l'impressionner. En fait, il a paru carrément ennuyé.

— Comment as-tu trouvé mon numéro privé ? a-t-il voulu savoir.

— C'est simple : j'ai avisé votre assistante qu'il s'agissait d'une urgence.

Il a marmonné qu'il allait la mettre en probation – grosse surprise ! –, puis il a déclaré qu'une interview, payante ou non, ne l'intéressait absolument pas.

J'en ai été blessé, mais j'ai résolu de terminer la conversation sur une apothéose en demandant à monsieur Fitzgerald si la petite chérie qui répondait au téléphone était sa première femme. Là, il a fait un bruit bizarre.

— C'est ma fille, a-t-il dit.

Je lui ai demandé quel âge elle avait et si elle fréquentait quelqu'un en ce moment. Je lui ai expliqué que j'étais sur le marché pour une nouvelle relation amoureuse, parce que ma dernière idylle s'était mal terminée lorsque de fausses rumeurs que j'avais accidentellement lancées avaient détruit la réputation de la jeune fille en question. Je l'ai assuré que l'expérience m'avait servi de leçon, cependant, et que je ne m'intéresse plus aux filles qui accordent autant d'importance à ce que les autres pensent d'elles.

— Votre fille fait-elle partie de cette catégorie ? ai-je demandé.

Il n'a pas répondu. Il m'a seulement enjoint de ne plus jamais le rappeler à la maison.

— Ça, ça compliquerait les choses si je sortais avec votre fille, l'ai-je prévenu, mais il a raccroché sans même me dire bonjour.

Monsieur Fitzgerald ne sait manifestement pas comment ménager ses sources. Après l'excellent scoop que je lui ai refilé, ç'aurait été la moindre des choses qu'il glisse un mot gentil à sa fille en ma faveur.

★

J'ai laissé un message à la jolie Lori Anderson de la chaîne de télévision CTY, lui reprochant de ne pas avoir parlé de moi, à Noël, quand j'ai été persécuté par mademoiselle Thorvaldson, la remerciant modérément d'avoir publicisé ma dramatique traversée de la ligne de piquetage et l'invitant à passer à l'école, lundi prochain, pour capter un héros local en train de mourir de faim pour la cause. Si je n'attire pas son attention avec ça, je démissionne.

★

Ma grand-mère a refusé de commanditer mon jeûne de vingt-quatre heures.

— Je n'aime pas ça plus que toi, ai-je grogné, mais, pour ne pas perdre ma réputation, je fais semblant. Ne peux-tu pas faire semblant de respecter mes convictions ?

— Non, a-t-elle dit en sortant de la pièce de son pas militaire, à la recherche de ma mère – et d'une bonne tasse de thé, si ce n'est pas trop demander.

Un peu plus tard, Ruth et tante Maude sont venues faire une petite visite guindée à ma grand-mère et je leur ai parlé du jeûne. Tante Maude m'a prévenu de rester bien hydraté et d'éviter toute activité physique exténuante, et elle m'a commandité pour dix dollars. Ruth semblait tellement contente et fière que j'en étais presque mal à l'aise. Elle était sur le point de me commanditer pour vingt dollars quand ma grand-mère a roulé ses grands yeux en reniflant sa désapprobation.

— En y repensant, c'est une cause tellement honorable que je t'en donne quarante ! a annoncé Ruth en penchant la tête de côté.

Je me demandais si ma grand-mère n'allait pas renifler de nouveau et faire monter les enchères, mais elle a seulement croisé les bras très serré, pincé les lèvres et détourné le regard.

★

J'ai décidé de tenir une chronique des vingt-quatre prochaines heures, qui pourraient bien être les dernières de ma vie. Je ne peux pas croire que je me suis laissé piéger dans ce foutu jeûne ! J'ai déjà l'estomac qui gargouille – bien que ce soit peut-être à cause de l'énorme sac de biscuits que j'ai engloutis dans l'auto en roulant vers l'école. C'était un ultime effort désespéré pour conjurer les terribles effets de l'inanition, et ça commence à me donner des crampes. Je ferais mieux de dérouler mon sac de couchage… pendant que j'en ai encore la force.

★

Je me sens faible ! Désorienté ! Étourdi ! Faut… que… je… demande… de… la… nourriture… à… monsieur… Bennet…

★

J'ai demandé de la nourriture à monsieur Bennet et, plutôt que de me glisser un dollar pour la distributrice automatique, il a invité tout le monde à se rassembler pour fredonner des chansons inspirantes. Puis il a fait remarquer que ça faisait seulement une demi-heure que nous étions là et il m'a envoyé chercher les matelas d'exercice dans la réserve.

★

Ça fait trois heures que nous jouons à des jeux de société, dans une piètre tentative de nous faire penser à autre chose qu'à la faim qui menace de nous consumer tous… à tout le moins qui menace de me consumer, moi. J'ai joué au Monopoly contre Missy Shoemaker et je me suis retrouvé en prison pendant trois tours consécutifs avant d'atterrir dans un hôtel de sa propriété de la Promenade et de déclarer faillite. Je lui ai fait remarquer que cela me donnait un statut officiel de pauvre et je lui ai suggéré de me montrer un peu de la compassion qui l'avait inspirée à être une telle peste au sujet de ce jeûne de vingt-quatre heures, mais elle s'est contentée de glousser et de jeter aux oubliettes le chapeau haut-de-forme qui me servait de pion.

★

Comme on s'apprêtait à se coucher, Jerry est venu faire un tour et nous annoncer une nouvelle formidable : demain soir – vingt-quatre heures, exactement, après le début de cette folie –, nous sommes tous invités à casser notre jeûne à la Mission de la Sainte Lumière, où la jolie Lori Anderson et l'équipe de télévision de CTY nous attendra pour nous interviewer.

— Hourra ! ai-je lancé faiblement.

J'allais reprendre ma position fœtale quand Janine – qui sautillait dans un pyjama en flanelle rose trop grand pour elle – a jeté son ourson en peluche de côté pour me serrer frénétiquement dans ses bras dans une étreinte qui n'en finissait plus. Après cela, j'ai titubé jusqu'à monsieur Bennet en haletant :

— Là, ça y est pour de vrai. Je suis tout désorienté et je me sens étourdi !

Il s'est contenté de sourire et il m'a conseillé de me mettre la tête entre les genoux.

★

Il y a quelques minutes, monsieur Bennet m'a surpris à rôder autour du réfrigérateur de la salle du personnel. J'avais attendu patiemment jusqu'à ce que je croie tout le monde endormi, puis je m'étais éclipsé en douce du gymnase pour fouiner à travers l'école à la recherche de n'importe quoi qui se mange. À première vue, le frigo de la salle du personnel avait l'air vide, mais là, tout à coup, j'ai aperçu un sandwich écrabouillé qui était tombé derrière le compartiment à légumes. Je l'ai repêché et j'étais sur le point de croquer dedans lorsqu'un jet de lampe de poche m'a frappé. Dans un réflexe rapide, j'ai aussitôt étendu les bras droit devant moi et j'ai gémi :

— Je… dois… être… somnambule.

Ce cher monsieur Bennet n'y a vu que du feu.

— Juste ciel ! a-t-il murmuré.

Il a détaché le sandwich moisi de mes mains et m'a doucement ramené au gymnase sans essayer de me réveiller.

★

L'aube s'est levée sur la vision pitoyable de deux douzaines d'adolescents affamés sirotant de l'eau Evian fraîche plutôt que de s'empiffrer de céréales et de saucisses. Maintenant, je sais ce qu'est la vraie misère.

★

La journée s'est déroulée dans la brume. À plusieurs reprises, mademoiselle Thorvaldson m'a pincé à tituber le long des corridors, mais au lieu de s'inquiéter de mon taux de glycémie dangereusement bas, elle m'a réprimandé d'avoir pris la clé des toilettes et d'avoir disparu pendant une demi-heure. J'ai tenté de lui expliquer que des hallucinations se produisent souvent quand le corps commence à consommer ses propres réserves, mais elle a simplement glapi :

— Retire ta main de cette distributrice et reviens en classe à l'instant !

J'ai obéi, mais en vacillant et en marmonnant tout le long du chemin pour prouver que mes hallucinations n'étaient pas feintes.

★

Vous connaissez l'adage « Toute bonne action trouve sa punition » ? Eh bien, il est doublement vrai pour tout ce qui concerne ce bon à rien de Jerry.

Tel que convenu, nous nous sommes présentés à la soupe populaire à dix-huit heures pile. J'étais tellement obnubilé par la perspective de manger de nouveau que je suis tombé à genoux et que j'ai failli pleurer de joie. Puis je me suis remis sur mes pieds et j'ai joué des coudes pour me placer en avant de la file, parce que j'étais certain que Jerry aurait commandé les meilleurs plats à emporter pour nous montrer sa gratitude, et je ne voulais pas manquer une seule de ces glorieuses bouchées.

Alors, imaginez-vous mon horreur quand il a jeté dans mon plateau en plastique orange un bol rempli de ragoût délavé et qu'il m'a fait circuler vers le bout de la file pour cueillir ma croûte de pain rassis et ma pomme talée.

— Non, mais tu veux rire de moi ? me suis-je exclamé. Ça fait vingt-quatre heures que je n'ai rien mangé !

Je pense que j'aurais piqué une colère à tout casser si je ne m'étais pas rendu compte que la jolie Lori Anderson ordonnait à son équipe de caméramans de se braquer sur moi. Alors, j'ai ravalé ma contrariété et j'ai remercié Jerry de son hospitalité en gloussant gentiment.

— Mais de rien du tout, a-t-il répondu avec chaleur. Je suis seulement désolé de ne pas pouvoir t'offrir quelque chose de plus substantiel.

Puis, se tournant vers Lori Anderson, il a expliqué que, même si ça paraissait bien peu, ce serait tout ce que certaines personnes se mettraient sous la dent entre ce soir et demain matin.

— Ce jeûne de vingt-quatre heures fut un merveilleux témoignage de solidarité, mais, pour vraiment comprendre la situation critique de notre clientèle, ces jeunes devraient passer la nuit avec rien d'autre dans le ventre, a enchaîné Jerry en désignant le contenu de mon plateau, et revenir ici demain matin pour grappiller le maigre déjeuner que nous pourrons leur servir. Parce qu'être trop pauvre pour se nourrir, c'est précisément ça.

Lori a fait un signe de tête compatissant, puis, en faisant voler ses boucles blond miel, elle s'est tournée vers nous.

— Et alors, les jeunes ? Êtes-vous prêts à relever ce défi ?

J'en aurais vomi si j'avais eu quelque chose dans l'estomac. Je savais que de relever ce défi insensé était exactement la sorte de choses que sainte Missy Shoemaker accepterait, et je ne pouvais pas la laisser me voler la vedette à la télévision. Il n'en était tout simplement pas question. Alors, avant qu'elle ait la chance d'ouvrir sa grande gueule pour dire quelque chose de noble, j'ai lâché :

— Tope là, Lori. J'accepte.

— Pas moi, a déclaré Missy Shoemaker, une fraction de seconde plus tard. Je suis désolée, madame Anderson, mais j'ai réellement faim, et monsieur Bennet a annoncé qu'il nous amènerait à la Rôtisserie Poulet-tout-frit pour un souper de célébration après que nous aurons mangé ici.

Mes camarades marmonnaient leur approbation aux propos de Missy. J'ai failli m'évanouir.

— Eh bien, je ne vous blâme pas, a commenté Lori Anderson en riant. Je n'espérais pas vraiment que quiconque accepte le défi. Mais comme tu l'as fait, toi, dit-elle en m'adressant un sourire, mon équipe de caméramans et moi-même reviendrons aux aurores pour voir comment tu t'en seras sorti.

Après avoir avalé de force le contenu à peine mangeable de mon plateau, j'ai traîné ma carcasse en état de choc jusqu'à la maison, où j'ai trouvé mes parents et ma grand-mère qui regardaient un clip de mon cauchemar au téléjournal. Je me suis empressé d'expliquer qu'il y avait eu un malentendu aux proportions astronomiques et que, si je ne me dépêchais pas de manger de la vraie bouffe, j'allais me désintégrer et voler au vent. Je pense que mes parents étaient sur le point de céder sous la pression, quand ma grand-mère est venue fourrer son formidable nez là-dedans.

— Ce garçon a fait une promesse, a-t-elle vociféré en pointant son doigt si fort qu'elle a failli m'arracher un œil avec son ongle. Et qui plus est, il a eu du pain, de la soupe et un fruit pour souper, ce qui n'est pas à dédaigner. Quel mal y aurait-il à lui enseigner à tenir ses promesses ?

Nous savions tous qu'elle ne faisait que se venger de la couverture de presse favorable que j'avais apportée à la Mission, mais ma mère a soupiré :

— Ça me fait de la peine de le reconnaître, maman, mais je pense que tu as raison.

N'en croyant pas mes oreilles, je me suis tourné vers mon père.

— L'argument est valable, fiston, a-t-il dit en haussant les épaules.

Le monde a viré fou.

★

Il est minuit et demi et je viens de découvrir ma grand-mère étendue par terre devant le frigo, sur un matelas gonflable. Elle avait la face barbouillée de crème de nuit bleue et les cheveux enveloppés dans un filet. Ses longs pieds osseux dépassaient de sa robe de nuit blanche et vaporeuse.

— J'essaie seulement de t'aider à tenir promesse, a-t-elle déclaré en remettant les tranches de concombre sur ses yeux.

Elle n'a pas idée à quel point sa stratégie a fonctionné. Il y a de très bonnes chances que j'aie perdu l'appétit à tout jamais.

★

Ce matin, après avoir vérifié que ma rencontre nocturne avec ma grand-mère n'avait pas rendu mes cheveux tout blancs, je me suis mis du gel à coiffer plein la tignasse et je me suis dépêché de me rendre à la Mission de la Sainte Lumière pour un déjeuner bien mérité et un peu d'attention personnelle de la part de la seule et unique Lori Anderson. Quand je suis arrivé là, cependant, Lori brillait par son absence.

— Où est l'équipe de télé ? ai-je demandé à Jerry en regardant aux alentours.

— Lori a téléphoné il y a quelques minutes pour dire qu'ils ne pourraient pas venir, a-t-il répondu. Je suis désolé. Tu as prolongé tes souffrances pour rien de plus que l'occasion de voir comment vivent certaines personnes. Des œufs ?

Souriant, il me tendait une assiettée d'œufs brouillés.

Je l'ai prise en grommelant et, comme je m'apprêtais à me plaindre du fait qu'il n'y avait ni bacon croustillant ni rôtie beurrée pour accompagner les œufs, j'ai remarqué une silhouette familière penchée sur une assiettée semblable à l'autre bout d'une table voisine.

Daryl !

C'était bizarre – je n'arrivais pas à comprendre ce qu'il faisait là. Mais je sais profiter d'une occasion quand elle se présente, alors je me suis faufilé derrière lui et j'ai crié : « BOU ! »

Vous auriez dû lui voir l'air ! Impayable !

— Qu'est-ce que tu fais ici ? ai-je demandé en m'assoyant à côté de lui. Moi, je suis là parce que, comme un idiot, j'ai accepté de prendre deux repas de suite à la Mission sans rien manger de décent entre les deux.

Je promenais mes œufs baveux avec ma fourchette.

— Beurk ! Regarde-moi cette bave détrempée ! ai-je dit en vidant une bouteille de ketchup par-dessus. Et peux-tu croire qu'ils n'ont même pas de céréales sucrées dans cette bicoque ? Non, mais, franchement... est-ce qu'ils s'imaginent vraiment que quiconque aime le blé filamenté ?

Je continuais à babiller en enfournant les œufs dans ma bouche.

— Faisiez-vous un jeûne de vingt-quatre heures à ton école, vous autres aussi ? ai-je voulu savoir. C'est pour ça que tu es ici ?

Étrangement, Daryl n'a pas dit un seul mot de tout le repas, même pas « Allô » à la dame des cuisines qui lui a lancé « Bonjour, Daryl » en passant près de la table.

— Es-tu malade ? lui ai-je demandé au bout du compte, après avoir léché mon assiette jusqu'à ce qu'il n'y reste plus rien. Parce que, tu sais, tu n'as même pas essayé de me sauter dessus quand je t'ai crié « BOU », tantôt.

Je lui bourrelais les côtes en disant ça, espérant qu'il réagisse, mais il a pris son plateau sans me regarder et il s'est éloigné.

★

En attendant que la cloche sonne, près des décrottoirs à bottes, j'ai raconté à John Michael que j'avais rencontré Daryl à la Mission. Il n'a rien dit au début, mais j'ai bien vu, par son expression, qu'il savait quelque chose, alors je l'ai harcelé jusqu'à ce qu'il avoue, à contrecœur, que Daryl déjeunait là de temps en temps.

— Quoi ? me suis-je écrié, le souffle coupé. *Pourquoi ?*

Mal à l'aise, John Michael a jeté un œil aux alentours avant de se pencher vers moi en chuchotant :

— Parce qu'autrement il partirait pour l'école l'estomac vide.

Partir pour l'école l'estomac vide ! Je suis sous le choc. Est-ce que ça peut réellement être vrai ? Il va falloir que j'en aie le cœur net.

★

J'ai couru voir Daryl chez lui, après l'école, pour connaître la vérité. Au début, il a simplement levé les yeux au plafond en disant qu'il ne savait pas de quoi je parlais.

— Je parle de toi qui déjeunes à la soupe populaire, Daryl, ai-je précisé, estomaqué. Je sais que le fait que tu aies été là, ce matin, n'avait rien à voir avec un jeûne de vingt-quatre heures. John Michael m'a dit que toi, tu y allais pour vrai.

Et là, sans crier gare, Daryl m'a plaqué contre le mur. Ce n'était pas une attaque amicale et taquine dans le but de me faire perdre le souffle par jeu, non, c'était une véritable attaque dans le but de me faire mal. J'étais tellement abasourdi que je n'ai même pas levé les bras pour me protéger. Son poing m'a atteint en pleine face.

Daryl a reculé à la vue du sang qui coulait de mon nez.

— Merde! a-t-il marmotté en cherchant partout quelque chose pour l'éponger.

J'ai refusé le petit morceau de vêtement mystère chiffonné qu'il avait ramassé par terre et il a couru à la salle de bains prendre du papier hygiénique pendant que je me pinçais le nez en me dirigeant vers la cuisine. La cannette de cœurs d'artichauts que j'avais aperçue, toute seule dans l'armoire, il y a quelque temps, prenait soudain un tout autre sens.

— Tiens, a-t-il dit en apparaissant abruptement.

Il m'a donné le papier hygiénique et on s'est assis en silence en attendant que le sang arrête de couler. Après un moment, j'ai repris la parole tout en faisant très attention à mon nez.

— Désolé, Daryl. Je ne voulais pas te faire fâcher.

— Eh bien… je suis désolé de t'avoir frappé, a-t-il dit en serrant les dents. C'est seulement que… toute cette histoire de soupe populaire, eh bien, il ne faut pas en faire un plat. Je n'y vais presque jamais. Je te le dis.

— Mais tu y vas parfois! me suis-je exclamé. Je me sens tout croche juste de savoir que, sinon, tu irais à l'école affamé.

— Malgré tout, il ne faut pas en faire un plat, a-t-il insisté, et tu n'as pas le droit de raconter ça à qui que ce soit, d'accord?

Main sur le cœur, je lui ai promis que son secret était en sécurité avec moi.

★

Ma mère s'est vraiment affolée en voyant l'état de mon nez.

— Ce sont les voyous de LAPSLA Junior qui t'ont fait ça? a-t-elle demandé.

— Je ne veux pas en parler, ai-je répondu.

Ce qui laissait clairement entendre que je blâmais ces voyous, mais que j'étais trop grand pour me rabaisser à leur niveau. Ma mère s'est énervée à propos de mon attitude stoïque pendant un bout de temps, après quoi elle s'est tellement démenée autour de mes blessures –

elle m'a apporté un tampon glacé, vérifié si j'avais des bosses ou des écorchures ailleurs, mesuré la dilatation de mes pupilles –, que j'ai dû la supplier de me laisser tranquille.

— Mais arrête d'être aux petits soins avec moi ! ai-je hurlé en sautant en bas du comptoir de la salle de bains. Franchement ! Qu'est-ce qui te prend ? Il y a des jeunes qui ont des problèmes autrement plus graves qu'une bosse sur le nez, tu sais.

Allez comprendre pourquoi, mais en m'entendant dire ça, elle a pensé que j'avais peut-être subi une légère commotion pendant l'attaque. Je lui ai dit que je n'avais jamais eu la tête aussi claire de toute ma vie, mais elle a insisté pour venir voir comment j'allais toutes les vingt minutes pendant le reste de la nuit.

★

J'ai bondi hors du lit, ce matin, puis je me suis habillé et, à sept heures, quand Jerry est venu déverrouiller la porte de la Mission, j'étais là qui l'attendais.

— Jerry ! lui ai-je crié, le faisant sursauter si fort qu'il a renversé du café sur le devant de son chandail. Te rends-tu compte qu'il y a des enfants qui vont aller à l'école sans avoir déjeuné si ta Mission ferme ? De vrais enfants, Jerry ! Qu'est-ce qu'on va faire ?

Jerry n'a pas manifesté le moindre bouleversement à cette nouvelle – ça fait tellement longtemps qu'il travaille avec les pauvres qu'il est peut-être devenu insensible à leur souffrance. Il m'a plutôt demandé si je faisais de la fièvre et m'a proposé de m'asseoir et de me reposer un moment. Sa suggestion m'a profondément dégoûté.

— Me reposer ? Mais on n'a pas le temps de se reposer ! me suis-je écrié. Il faut faire quelque chose !

Là, il a voulu prendre mon pouls, mais j'ai dégagé mon bras et je suis rentré à la maison en courant pour avaler un petit déjeuner rapide avant d'aller à l'école.

★

Après avoir englouti six tranches de pain doré, trois verres de jus d'orange, deux muffins aux bleuets et une banane, j'ai embrassé ma mère en la remerciant de faire son possible, jour après jour, pour mettre de bons aliments nourrissants sur la table.

— Ce n'est pas toujours appétissant, ai-je reconnu en la serrant dans mes bras, mais c'est presque toujours mangeable, et c'est ça qui compte.

— Arrête-moi ça ! a-t-elle dit en me donnant une petite tape. Tu es vraiment trop aimable.

★

Sitôt assis à mon pupitre, ce matin, j'ai demandé à Missy Shoemaker de s'informer auprès de son père pour voir s'il existait une loi empêchant le mouvement « Sauvez notre soupe populaire » d'organiser un sit-in à l'hôtel de ville.

— Tu espères avoir encore de gros plans prestigieux avec Lori Anderson, c'est ça ? a-t-elle ricané.

— Non, bien sûr que non, ai-je répliqué. Tu as dit toi-même que l'avenir de la Mission augurait mal. Le jeûne de vingt-quatre heures a peut-être aidé, mais il faut en faire plus ! Il y a des enfants qui vont devoir aller à l'école le ventre creux si la Mission ferme, tu sais.

J'attendais que Missy dise quelque chose, mais elle s'est contentée de me dévisager.

— Qu'est-ce qu'il y a ? ai-je voulu savoir.

Là, je me suis rendu compte qu'ils étaient tous là à me zyeuter : John Michael, Théodore Pinker, Lyle Filbender, et même mademoiselle Thorvaldson.

— Qu'est-ce qu'il y a ? ai-je répété. Qu'est-ce que vous avez, tous, à me regarder comme ça ? Est-ce que j'ai quelque chose qui me pend au nez ?

J'ai exigé la clé des toilettes pour aller vérifier si mon nez laissait écouler des sécrétions et, quand je suis revenu, la classe avait commencé.

★

Ma mère est allée faire le marché, aujourd'hui. J'ai attendu qu'elle ait fini de tout ranger et qu'elle soit montée à l'étage pour se faire couler un bain mousseux bien mérité et là, j'ai vidé le frigo et les armoires et j'ai traîné deux sacs d'épicerie remplis de bouffe jusque chez Daryl.

— C'est quoi, ça ? a-t-il voulu savoir, en fixant mes sacs avec méfiance.

— Du lait, Daryl, ai-je expliqué en haletant. Des viandes à sandwiches. Des fruits et du pain frais. Je peux entrer ?

— Non ! a-t-il hurlé en me claquant la porte au nez.

— Mais, Daryl, ai-je crié à travers la porte, j'ai apporté des Lucky Charms. Tu sais… les céréales magiquement délicieuses.

Après un moment, la porte a fini par s'entrebâiller.

— Je n'ai jamais mangé de Lucky Charms, a-t-il marmonné.

— Elles sont formidables ! me suis-je exclamé avec enthousiasme en entrant de force avant qu'il puisse me claquer la porte au nez encore une fois.

J'ai traîné la bouffe jusque dans la cuisine et là, même si ce n'était pas l'heure du petit déjeuner, on s'est assis sur son divan malodorant et on a mangé des bols et des bols de Lucky Charms.

— Est-ce que ce n'est pas délicieux ? ai-je demandé en laissant échapper de ma bouche pleine à éclater des céréales à moitié mâchées.

— Magiquement ! a-t-il répondu, en me vaporisant sans faire exprès d'une giclée de lait.

Il s'est mis à rire en voyant le lait couler le long de mon visage, alors j'ai ramassé un trèfle vert et quelques lunes jaunes avec ma cuiller et je les ai lancés dans sa direction. Je l'ai raté, mais il a évidemment compris que cette attaque méritait riposte, parce que, sans prévenir, il m'a jeté le reste de ses céréales sur la tête et s'est mis à sauter sur le divan de tout son poids. Sans pouvoir rien y faire, j'ai bondi et rebondi à travers des nuages de mites en le suppliant de s'arrêter… jusqu'à ce qu'il pousse un cri de Tarzan à me percer les tympans et exécute un saut de haute voltige qui aurait pu me décapiter si son coude avait atterri à la bonne place.

— Tu es bien correct, a-t-il haleté en me tapant dans le dos.

— Toi aussi, ai-je répondu en me levant pour aller rincer ma tête pleine de lait.

Plus tard, ma mère a voulu savoir où étaient passés tous les aliments qu'elle avait achetés à l'épicerie.

— Aucune idée, ai-je dit en haussant les épaules.

Ce n'est pas moi qui vais trahir le secret de Daryl, ça c'est sûr et certain.

★

Ce matin, mon père s'est rendu compte que ma grand-mère avait emprunté son rasoir flambant neuf pour se raser les aisselles.

— Cesse de gémir ! ai-je jappé. Tu ne sais pas à quel point tu es chanceux !

Je lui ai dit que ses problèmes n'étaient rien en comparaison de la lutte perpétuelle à laquelle font face certaines personnes pour leur survie et qu'il devrait avoir honte de mener toute cette campagne pour empêcher des enfants affamés d'avoir de quoi se mettre sous la dent. Ma grand-mère avait manifestement entendu ma tirade, parce qu'elle m'attendait de pied ferme à ma sortie de la salle de bains.

— Tu es… tu es *ridicule*, a-t-elle bredouillé. Qu'est-ce que tu connais à la faim des enfants ? Dieu m'est témoin, j'en ai oublié davantage que tout ce que, toi, tu connaîtras jamais sur la question et, je te le dis, une soupe populaire de plus ou de moins ne changera rien à rien ! Pourquoi ne peux-tu pas cesser de te préoccuper de ce problème-là et plutôt nous aider à prendre soin de ce qui nous appartient ?

Je voulais lui montrer – *lui faire comprendre* –, mais avant que j'aie pu ouvrir la bouche pour parler, elle a bondi vers moi et m'a bizarrement serré dans ses bras pendant une fraction de seconde, avant de reculer en vitesse et de déplorer la tache de gel capillaire que j'avais faite sur le devant de sa robe. Là, je ne savais plus quoi dire, et elle non plus, je pense. Alors, après un petit silence embarrassé, nous avons repris chacun notre chemin.

★

Selon le père de Missy Shoemaker, un sit-in à l'hôtel de ville est exactement ce qu'il ne faut pas faire.

— Il dit que ça nous donnerait une allure de militants, a-t-elle expliqué.

J'ai froncé les sourcils et je lui ai demandé :

— Et alors, est-ce qu'il a quelque chose à nous suggérer ?

Missy m'a dévisagé avec méfiance avant de poursuivre :

— La Ville est en train de préparer son budget annuel, qui inclut la révision des subventions à venir pour des programmes comme celui de Jerry. D'après mon père, notre meilleure chance d'influencer directement les conseillers municipaux serait de prendre la parole à la prochaine séance du conseil de ville – avant qu'ils prennent les décisions finales sur ces subventions et qu'ils votent sur le budget.

Après avoir ruminé la suggestion, j'ai fini par lui dire :

— D'accord, ton idée a du bon sens. J'en parlerai à Jerry après l'école pour voir ce qu'il en pense.

Missy m'a adressé un sourire incertain et elle s'est éloignée en hochant la tête.

★

Jerry nous a inscrits à l'agenda !

La Mission de la Sainte Lumière est le quatrième point à l'ordre du jour de la prochaine séance du conseil municipal. Avant nous, un groupe revendiquera un nouveau refuge pour les chats ; la question des contraventions bilingues sera débattue et les fanatiques du mouvement « Sauvons nos espaces verts » viendront s'opposer à la coupe de quatre arbres de l'Exchange District pour faire plaisir à une compagnie cinématographique multimillionnaire. Le conseil a tellement de sujets à l'ordre du jour que les interventions sont limitées à deux pour et deux contre, plus un dernier intervenant qui peut réfuter.

Dès que j'ai appris la nouvelle, j'ai téléphoné à Daryl et je lui ai dit que nous avions franchi une étape de plus pour sauver la soupe populaire.

— Ouais ? a-t-il dit. Eh bien, quand tu auras fini de sauver la soupe, je pense que tu devrais essayer de sauver Uranus.

Je l'ai remercié de son vote de confiance, en précisant que les opérations de rescousse interplanétaire étaient légèrement en dehors de mes compétences.

Ensuite, après avoir raccroché, je me suis promis de commencer à suivre les nouvelles d'un peu plus près. Je n'étais même pas au courant qu'Uranus avait des problèmes.

★

Ce soir, nous avons réuni un groupe de personnes pour discuter stratégie en vue de la séance du conseil municipal.

— Il faut qu'ils sachent que ça veut dire de la vraie bouffe dans la bouche du vrai monde. Du monde comme moi, ai-je dit en me montrant du doigt. Du monde comme elle, ai-je ajouté en posant les mains sur l'épaule d'Honey, la danseuse exotique, qui portait un gilet en laine angora rose ultra-moulant.

Mais là, je me suis tu, parce que je ne pensais plus qu'à la douceur pelucheuse de la laine angora entre mes doigts. Je suis resté muet, la langue paralysée, jusqu'à ce que Jerry vienne détacher mes mains de l'épaule d'Honey et qu'il me propose comme l'un des intervenants à la séance du conseil. John Michael a appuyé la proposition, Janine a applaudi en se tortillant d'excitation et, avant que je comprenne de quoi il s'agissait, on a procédé au vote et la motion a passé haut la main. Félicitations et poignées de main enthousiastes s'en sont suivies et ce n'est que vers la fin de la rencontre que j'ai pu entraîner Jerry à l'écart pour lui avouer ma peur pathologique de parler en public.

— Tu me connais, Jerry, lui ai-je chuchoté, je ferais n'importe quoi pour la cause. J'ai été mutilé pour la cause ! Mais je t'en prie, je t'en supplie, ne me demande pas de faire ça.

Jerry a semblé très surpris d'apprendre que j'étais nerveux de parler en public.

— Ne te laisse pas aveugler par mon charme facile et mon attitude décontractée, lui ai-je dit. Même quelqu'un comme moi peut ne pas être bon dans un domaine.

Étant donné que Jerry est un homme d'Église qui a déjà pas mal ambitionné sur moi et à plus d'une reprise, j'espérais qu'il ferait preuve de compassion et qu'il me libérerait de cette obligation. Mais pensez-vous ! Plutôt que d'accepter ma suggestion – et de dire à tout le monde qu'étant sous contrat avec la NBC, je n'ai pas le droit de prendre le moindre engagement à parler publiquement –, Jerry a lancé un nouveau tonnerre d'applaudissements pour le héros local, qu'il a décrit comme étant aussi brave et tenace que beau bonhomme.

— Rappelle-toi seulement ceci, m'a-t-il murmuré quand j'ai pris congé, ce qui ne nous tue pas nous rend plus fort.

— Ou alors nous traumatise à jamais, ai-je persiflé en m'enfonçant dans le froid.

★

J'ai dit à mes parents que j'avais été choisi comme orateur pour « Sauvez notre soupe populaire ». Je m'attendais à ce que ma grand-mère soit furieuse, mais au lieu de ça, elle a dit :

— Toi ?

Le ton d'incrédulité avec lequel elle a lancé ce mot m'a complètement pris au dépourvu.

— Oui, moi ! ai-je confirmé.

Voyant qu'elle ne disait rien d'autre, j'ai ajouté :

— Je suis un orateur doué, tu sauras !

Alors elle s'est mise à fredonner tout bas en tripotant les fils de son cafetan violet, jusqu'à ce que ma mère explose.

— Oh, mais arrête ton fredonnement et ton tripotage ! a-t-elle glapi. J'ai toujours détesté que tu fasses des trucs comme ça pour effriter ma confiance en moi, et il n'est pas question que tu recommences tes manigances avec mon fils ! Mon chéri, a-t-elle ajouté en se tournant vers moi, je suis très fière que tu aies le courage de monter sur ce podium tout seul pour exprimer ta pensée devant ces centaines de personnes. Je suis certaine que tu vas très bien faire ça !

Elle m'a jeté les bras autour du cou, et mon père a fait la même chose.

— Moi aussi, fiston, a-t-il dit d'une voix bourrue. Moi aussi.

On est restés enlacés dans un silence affectueux, sans s'occuper de ma grand-mère qui nous fusillait des yeux de toute son amertume. C'était presque assez pour empêcher la panique de se répandre dans mes veines comme une marée hostile, envahissant chaque cellule impuissante de mon corps.

Presque.

★

Ce soir, avant d'aller au lit, j'ai dit à mon père à quel point j'étais content d'avoir son soutien et de le voir finalement mettre son poids du côté de la campagne « Sauvez notre soupe populaire ».

— Je sais que l'approbation de grand-maman t'importe beaucoup et que tu tiens très fort à être accepté par tes collègues commerçants, ai-je dit. Mais il faut croire qu'on s'est rendu compte, toi comme moi, qu'il faut parfois faire des sacrifices pour les choses auxquelles on croit. En tant qu'adulte, tu aurais sans doute dû le découvrir bien avant moi, mais, quoi qu'il en soit, je veux que tu saches que je suis très, très fier de toi.

L'air abasourdi, il a essayé de bredouiller une réponse, mais je l'ai interrompu avec une étreinte qui lui a coupé le souffle.

★

Janine a dit à monsieur Bennet que j'avais été choisi comme orateur pour la séance du conseil municipal.

— Quelle coïncidence! a grogné Lyle Filbender. À titre de président de LAPSLA Junior, c'est moi qui parlerai pour la partie adverse.

Selon monsieur Bennet, voilà des nouvelles formidables.

— Quelle merveilleuse occasion d'apprentissage! s'est-il exclamé, plein d'enthousiasme. Nous allons séparer la classe en équipes, développer des arguments et entreprendre un long débat sur la question. Ce sera une bonne préparation pour l'événement lui-même.

À cet instant, j'ai commencé à me sentir étourdi, au point de devoir appuyer la tête sur mon pupitre.

— Est-ce que ça va? a demandé monsieur Bennet.

J'ai fait un faible oui de la tête, mais plus tard, je lui ai expliqué que rien ne me faisait moins envie que d'avoir encore plus d'occasions de parler devant le monde.

— Ne t'inquiète pas, a-t-il dit. Je serai juste à côté de toi à chaque étape du processus.

— Vraiment ? ai-je relevé, rempli d'espoir. Même quand je vais prononcer mon allocution à la séance du conseil municipal ?

— Eh bien, non, a-t-il reconnu. À la séance du conseil municipal, j'ai bien peur que tu sois livré à toi-même.

★

Tout n'est pas perdu ! Monsieur Bennet m'a révélé une technique éprouvée, conçue pour aider les orateurs publics nerveux à surmonter leur trac.

— Avant de commencer à parler, m'a-t-il dit, jette un regard sur les gens dans l'assistance et imagine-les, assis là en sous-vêtements.

Pendant un long moment, je suis resté silencieux devant la classe et j'ai fait ce qu'il me conseillait.

— Et alors, a-t-il demandé, te sens-tu plus calme, maintenant ?

— Pas exactement plus calme, ai-je répondu en souriant à Missy Shoemaker, qui me faisait des gros yeux en ramenant les bras sur sa poitrine. Mais indéniablement mieux.

★

J'utilise ma nouvelle technique d'orateur public chaque fois que c'est possible, ces temps-ci – au centre commercial, à l'épicerie, avec Trish, la secrétaire de l'école. Tout allait bien jusqu'à ce soir, quand je l'ai accidentellement appliquée à ma grand-mère et là, j'ai eu un flash d'elle en train de manger ses nouilles à la saucisse vêtue de sa gaine et ça m'a quasiment rendu aveugle.

Poussant un cri, je me suis caché les yeux avec mon avant-bras et j'ai filé hors de la pièce en chancelant.

— C'est quoi, le problème ? a crié mon père en s'élançant à ma suite.

— Fais-moi confiance, ai-je haleté en m'effondrant dans ses bras. Tu ne veux pas le savoir.

★

Ma grand-mère a convoqué une réunion d'urgence de LAPSLA dans son centre de crise, ce soir, et elle m'a interdit d'y participer en alléguant que j'étais subversif.

— Ça me convient très bien, ai-je répliqué. De toute façon, je dois peaufiner le brillant discours que je vais faire à la séance du conseil municipal.

Mon impertinence lui a cloué le bec et on est restés là à se défier – mains sur les hanches et menton relevé – jusqu'à ce qu'elle tourne brusquement les talons pour filer au centre de crise en claquant la porte derrière elle. J'ai couru à l'étage et j'ai collé l'oreille sur le conduit d'aération du plancher juste à temps pour l'entendre proposer mon père comme vice-président responsable des relations avec les médias. J'ai souri en imaginant sa réaction quand mon père l'enverrait se faire cuire un œuf, mais ça ne s'est pas produit. Au lieu d'avouer qu'il avait changé d'allégeance, mon père a laissé passer la motion sans rien dire!

Sans faire ni une ni deux, j'ai bondi sur mes pieds et dévalé l'escalier, mais ma mère m'a intercepté avant que je puisse entrer en trombe dans le centre de crise et enguirlander mon père en le traitant de traître. Elle m'a conduit à la cuisine et elle m'a fait attendre tranquillement que la réunion s'achève et que tout le monde soit parti, puis elle a invité mon père à venir me parler.

À mon immense satisfaction, il avait l'air misérable. Dès qu'il a été assis à la table de la cuisine, j'ai détourné ma chaise et regardé de l'autre côté.

— Essaie de comprendre, fiston, a-t-il plaidé en s'adressant au derrière de ma tête. Je n'avais pas l'intention de t'induire en erreur – tout simplement, je ne savais pas comment t'expliquer. Les choses peuvent être compliquées une fois qu'on est adulte. Ça fait quatorze ans que j'attends l'occasion de prouver à ta grand-mère que ta mère n'a pas fait une mésalliance en m'épousant. À ce moment-ci, la décision de subventionner la Mission de la Sainte Lumière peut aller dans un sens ou dans l'autre. Si je tournais le dos à LAPSLA maintenant, ce serait un désastre de relations publiques pour notre association, et ça pourrait faire tout basculer. Auquel cas – et si la Maison des Toilettes devait en subir des conséquences négatives – jamais ta grand-mère ne me le pardonnerait. Je perdrais son respect pour toujours et je serais incapable de combler l'immense fossé qui se serait ainsi creusé dans notre famille.

J'entendais la frustration dans sa voix.

— Crois-le ou non, je pense vraiment à notre famille, et, quand tu iras défendre ta cause devant le conseil municipal, tu n'auras pas de meilleur partisan que moi.

Je suis resté silencieux juste assez longtemps pour qu'il s'imagine que j'essayais de comprendre son point de vue. Puis je lui ai dit ma façon de penser.

— Voilà le discours le plus minable que j'aie jamais entendu, ai-je déclaré. Et je veux que tu saches que, de toute ma vie, jamais je n'ai été aussi déçu de toi.

Il a voulu protester, mais j'ai levé la main.

— Tu m'as expliqué ta position de façon très claire, alors je vais en faire autant. À partir de maintenant, tu es l'ennemi. Et tant qu'on n'en aura pas fini avec cette affaire, je n'aurai plus rien à te dire.

Sur ce, je me suis levé et je suis sorti de la cuisine. J'ai pensé qu'il me suivrait peut-être, mais il n'en a rien fait. Plus tard, lui et ma mère ont discuté dans l'autre pièce, mais, malgré tous mes efforts, je n'ai rien entendu de ce qu'ils se disaient.

★

J'ai rapporté à John Michael et à Daryl la décision de mon père d'appuyer la cause de LAPSLA.

— Il m'a fourni bien des excuses, mais ce n'étaient que des prétextes, ai-je dit. En ce qui me concerne, j'ai jeté les gants. Non, mais comment peut-il être à ce point centré sur lui-même qu'il n'arrive pas à voir la situation dans son ensemble ?

Nous avons tous convenu que mon père était un pauvre type et que si les adultes se donnaient seulement la peine de suivre les conseils qu'ils aiment tant déverser sur nous – ne fais pas aux autres ce que tu ne veux pas… bla-bla-bla… aime ton prochain… et alouette ! – le monde serait un endroit bien meilleur, et de beaucoup.

★

Mon père a essayé de me parler à plusieurs reprises, mais je l'ai repoussé chaque fois. Ma mère a voulu intercéder pour lui, mais elle n'a fait qu'empirer les choses.

— Ton père est un homme correct qui a à cœur que la soupe populaire demeure ouverte, a-t-elle affirmé, mais il est aux prises avec ce qu'il voit comme des objectifs contradictoires.

— Tu veux dire qu'il ne veut même pas qu'on ferme la Mission? ai-je vociféré. Qu'il sait que ce que fait LAPSLA n'est pas correct et qu'il approuve quand même ses actions?

Je lui ai dit que je m'en souviendrais la prochaine fois que quelqu'un m'offrirait du crack.

— Qui t'a offert du crack? s'est alarmée ma mère.

— Oh, juste des gens que je veux impressionner depuis longtemps, ai-je répondu avec désinvolture. Il y a cette guerre qui oppose les toxicomanes aux jeunes qui rejettent la drogue. C'est difficile à expliquer – ces choses-là peuvent être tellement compliquées.

Elle m'a dit qu'elle n'appréciait pas mon sarcasme et j'ai répliqué que je n'appréciais pas l'hypocrisie de mon père.

— Ou ta façon de lui trouver des excuses, ai-je ajouté.

Elle n'a rien trouvé à répondre à cela.

★

Ma grand-mère erre dans la maison comme un fantôme bien nourri, depuis quelques jours. J'aurais cru qu'elle se sentirait victorieuse du fait que mon père a accepté le poste de vice-président des relations avec les médias, mais chaque fois que nos regards se croisent, elle semble plus préoccupée que jamais.

★

Aujourd'hui, avant le cours d'éducation à la vie familiale, j'ai dit à Missy Shoemaker que j'étais devenu tellement bon dans l'utilisation de ma technique d'orateur public que je pouvais maintenant visualiser les gens, pas seulement en sous-vêtements, mais complètement nus. Je me pensais bien comique jusqu'à ce qu'elle me fasse remarquer que la moitié des personnes dans la classe étaient des gars, et que Lyle Filbender avait probablement déjà du poil sur ses organes génitaux. Alors, pendant tout le cours, je n'ai rien pu visualiser d'autre que l'entrecuisse poilu de Lyle et, en conséquence, je n'ai pas pu aligner plus de deux mots l'un à la suite de l'autre en répétant mon allocution.

— Ne t'inquiète pas, a dit monsieur Bennet. Il reste encore une semaine avant la séance du conseil. Ça te donne bien assez de temps pour te préparer.

★

J'ai essayé de répéter mon allocution encore une fois, aujourd'hui. Mon équipe avait trouvé une série d'arguments qui semblaient très sensés quand on les discutait en groupe, sauf que, quand je me suis retrouvé debout devant la classe, j'ai tellement bafouillé et bredouillé que Lyle Filbender a éclaté de rire et a été expulsé.

Monsieur Bennet m'a regardé pensivement.

— Cette cause te tient manifestement beaucoup à cœur, a-t-il dit, autrement tu ne t'y serais pas engagé aussi à fond. Peut-être que tu ne devrais pas mettre autant d'accent sur les arguments bien documentés, mais parler avec ton cœur. Dis-moi, y a-t-il un incident particulier qui t'a réellement fait prendre parti pour la cause ?

L'image de Daryl assis tout seul en train de manger dans un plateau en plastique orange m'est revenue en tête, et j'ai haussé les épaules.

— Penses-y, a poursuivi monsieur Bennet. C'est peut-être la clé.

★

J'ai appelé Daryl et je lui ai parlé des problèmes que j'avais avec mon allocution.

— Mon prof veut savoir pourquoi c'est si important pour moi que la Mission reste ouverte, ai-je dit. C'est sûr que je ne vais pas lui parler de toi, mais est-ce que tu serais d'accord que je lui dise que j'ai un ami qui mange parfois à la soupe populaire ?

Daryl s'est rebiffé à cette seule évocation.

— Mais personne ne pourra jamais savoir que c'est de toi que je parle, lui ai-je promis.

Alors il a accepté, à contrecœur.

★

Ça marche ! Aujourd'hui, quand je me suis retrouvé devant la classe, j'ai pensé à Daryl et les mots se sont tout simplement mis à couler tout seuls.

— Vous pensez que cette cause ne concerne que des gens bizarres avec des sandwiches au Cheez Whiz dans leurs poches ? ai-je dit en guise de conclusion. Eh bien, ce n'est pas ça ! Je connais quelqu'un, un gars de mon âge, qui déjeune à cette soupe populaire simplement pour ne pas devoir partir pour l'école le ventre vide. À le regarder, on ne le devinerait jamais, mais c'est vrai ! Alors, rappelez-vous : la personne qui se fie à la Mission de la Sainte Lumière pour son pain quotidien pourrait être celle qui est assise à côté de vous. Un jour, ça pourrait même être vous.

J'étais tellement brillant que j'ai commencé à hyperventiler et que monsieur Bennet m'a fait respirer dans un sac de papier pour m'empêcher de tomber dans les pommes. Plus tard, il m'a demandé si je connaissais vraiment un gars qui déjeunait à la Mission.

— Oui. Non. Peut-être. Je ne vous le dis pas – vous ne pouvez pas me forcer ! ai-je lâché.

Puis j'ai quitté la salle de classe en courant avant qu'il puisse briser mes défenses et me tirer les vers du nez.

★

J'ai eu une séance surprise avec ma jolie psychologue, la docteure Anderson. La majeure partie de notre discussion a porté sur le type de secrets qu'il était approprié de garder, versus ceux qui devraient être partagés avec les personnes en mesure d'apporter de l'aide.

— Monsieur Bennet m'a dit que tu avais paru bouleversé quand il t'a questionné sur le mystérieux garçon qui mange à la soupe populaire, a-t-elle déclaré avec douceur. Savais-tu que le système scolaire offrait du soutien aux familles en crise ? Si tu as un ami qui vit une situation difficile, tu peux me le dire. Il se pourrait que je puisse l'aider.

Elle était si gentille, si logique et si agréable à regarder que j'ai senti fondre ma résolution de garder le secret de Daryl. Alors, en désespoir de cause, j'ai lancé :

— C'est de moi que je parlais. Ce mystérieux garçon, c'est moi !

Je lui confié que mon bon à rien de père avait fait péricliter le commerce familial et que nous avions de la difficulté à survivre à même le maigre salaire à temps partiel de ma mère.

— S'il vous plaît, ne leur parlez pas de ça, ai-je supplié. Ça les met terriblement dans l'embarras de ne pas pouvoir subvenir à mes besoins, et je n'ai aucune idée de la façon dont ils réagiront si leur vilain petit secret sort au grand jour.

La docteure Anderson a hoché la tête lentement, m'a remercié de ma remarquable candeur et s'est montrée d'accord pour ne faire aucun effort immédiat pour confirmer mon histoire abracadabrante. Elle n'a pas pleuré devant moi, mais je suis presque certain d'avoir vu une étincelle dans son regard au moment où je sortais. Ça doit l'attrister de savoir tout ce que doit supporter son patient favori.

★

Comme la séance du conseil municipal a lieu dans trois jours, l'escouade de « Sauvez notre soupe populaire » déploie les grands moyens pour convaincre les gens d'y assister en occupant les sièges réservés aux spectateurs.

— Ça ne suffit pas d'avoir une ou deux personnes qui vont faire un discours émouvant, a lancé Jerry en regardant les bénévoles quitter la Mission deux par deux pour aller faire du porte-à-porte. Le conseil municipal doit savoir que nos supporters sont prêts à se montrer et à être dénombrés.

Une fois que tout le monde a été parti, j'ai confié à Jerry qu'il m'avait fait de la peine en insinuant que mon émouvant plaidoyer ne serait pas assez solide pour sauver la Mission. Il a ri et il a dit espérer qu'il le serait.

★

Ruth m'a assuré que quarante-deux personnes occuperaient des sièges à la séance du conseil municipal.

— Elles font toutes partie de mon mouvement des Femmes gaies pour la responsabilité sociale, a-t-elle expliqué, tout excitée. Je me vantais de ce que tu étais en train de faire depuis quelque temps, et elles ont insisté pour manifester leur appui – pour la soupe populaire et pour toi. Elles avaient peine à croire que je parlais du même garçon qui avait quasiment mis Monsieur Juteux en faillite lors d'un certain rassemblement ! Comme les choses peuvent changer en quelques mois !

J'ai remercié Ruth et je lui ai demandé si elle et tante Maude viendraient assister à la séance du conseil, elles aussi.

— On ne manquerait pas ça pour tout l'or du monde, m'a-t-elle assuré.

★

Ce soir après souper, je me suis enfermé dans le vivoir et j'ai téléphoné à mes contacts des médias une dernière fois pour m'assurer qu'ils seraient tous là à la séance. La journaliste aux lunettes en écailles a promis d'y être, de même que la jolie Lori Anderson, de la chaîne de télévision CTY. Mon ancien patron, monsieur Fitzgerald, pour sa part, s'est plaint du fait que je l'appelais encore chez lui.

— Mais c'est vraiment une urgence, cette fois ! ai-je crié. Vous rendez-vous compte que vous avez l'occasion d'influer sur une décision qui pourrait toucher des centaines de personnes ? Quelques articles favorables pourraient faire énormément pour sauver cette soupe populaire et permettre à des enfants affamés de manger, vous savez.

La dernière phrase a semblé le toucher, parce qu'il a grommelé :

— Je vais y penser.

Je l'ai remercié, puis je lui ai demandé s'il avait eu la chance de parler de moi à sa fille. Malheureusement, la communication a été coupée – je ne sais trop comment – avant que je puisse entendre sa réponse.

Quand je suis sorti du vivoir, le nouveau vice-président des relations avec les médias de LAPSLA a voulu savoir à qui je parlais. Je suis passé devant lui sans un mot.

Qu'il s'occupe de faire ses propres contacts.

★

Monsieur Bennet et mademoiselle Thorvaldson ont décidé d'amener la classe à l'hôtel de ville, demain, pour entendre Lyle Filbender et moi prononcer nos discours. Lyle n'était pas trop content quand il a appris ça, et moi non plus. Nous nous sommes plaints que d'avoir nos camarades de classe dans l'auditoire venait de faire monter la pression d'environ dix mille degrés dans notre cocotte-minute. Monsieur Bennet s'est excusé, tout en disant qu'il était trop tard puisqu'on avait déjà envoyé aux parents les formulaires d'autorisation.

— Tout ça, c'est ta faute, a grogné Lyle tandis qu'on marchait vers nos casiers. Mon père ne m'aurait jamais fait faire ça s'il n'avait pas entendu dire que tu le faisais.

Il a donné un coup de pied tellement solide sur ma porte de casier que plusieurs de mes photos de mannequins sont tombées par terre en voltigeant.

— Tu vas me payer ça, a-t-il dit en pointant un doigt poilu dans ma face. Tu ne perds rien pour attendre.

★

J'ai parlé à Daryl et à John Michael de la menace de Lyle et je leur ai suggéré de devenir mes gardes du corps à partir de maintenant. John Michael a proposé de m'apprendre le kick-boxing, de façon que je puisse plutôt me défendre tout seul, mais j'ai répliqué que m'entourer de personnes dont la vie était vouée à ma sauvegarde correspondait davantage à l'image que j'avais de moi-même.

— Et ça, comment tu trouves ça? a demandé Daryl en se léchant le doigt pour me le planter dans l'oreille. Ça correspond à l'image que tu as de toi-même?

— Pas vraiment, ai-je avoué en tâchant en vain d'essuyer sa salive de mon conduit auditif.

J'ai attendu qu'il me tourne le dos pour le surprendre en mettant mon doigt rempli de salive dans son oreille à lui, mais il faut croire qu'il avait prévu le coup, parce qu'il a pivoté brusquement, m'a saisi et a réussi, à force de tortillements, à rentrer mon doigt dans ma propre oreille. Après une bagarre héroïque, je lui ai dit que je savais reconnaître quand j'étais vaincu, et je lui ai suggéré de retourner à la lecture de son magazine, ce qu'il a fait.

— Et alors, ai-je demandé en essayant de le surprendre encore une fois, vas-tu venir à la séance du conseil, demain?

— Je ne sais pas, a-t-il répondu en me bottant les jambes. Pourquoi aurais-tu besoin de moi?

J'ai repensé à ma vision – celle où il est tout seul en train de manger dans son plateau de plastique orange.

— Pour l'inspiration, ai-je déclaré.

Il m'a promis d'y songer.

★

Ma mère vient d'entrer pour me souhaiter bonne nuit et suspendre ma chemise fraîchement repassée dans ma garde-robe.

— Alors, es-tu nerveux ? a-t-elle demandé en s'assoyant sur le bord de mon lit et en lissant ma douillette.

— Oui. Non. Je sais pas, ai-je soupiré en secouant les épaules et en m'enfonçant dans mes couvertures.

Elle a souri en disant à quel point elle était fière de moi.

— Même si ça signifie que grand-maman va nous détester pour toujours ?

Elle a fait oui de la tête.

— Même si la Mission reste ouverte et ruine la Maison des toilettes ? ai-je insisté.

Elle a fait oui de la tête.

— Même si ça détruit la réputation de papa dans la communauté des affaires et qu'il perd son emploi ? Même si nous en venons un jour à ne plus pouvoir grappiller assez d'argent pour nous procurer le nécessaire pour vivre ?

— Eh bien, a dit ma mère en riant, si tu réussis à sauver la soupe populaire, nous aurons au moins un endroit où aller manger, pas vrai ?

Elle s'est penchée et m'a embrassé sur le front.

— Le fait est, mon trésor, que c'est surtout pour ça que je suis fière de toi. Tu prends un risque en affirmant ce en quoi tu crois, et ça, ça prend du courage.

J'ai réfléchi à ses paroles.

— Est-ce que ça signifie que tu penses que papa est un lâche ?

Elle a fait non de la tête et elle a répondu qu'elle était fière de nous deux, mais pour des raisons différentes.

Quelques instants après qu'elle a eu éteint la lumière et quitté la chambre, j'ai entendu la porte s'entrebâiller dans un craquement. Mon père a traversé la pièce sur la pointe des pieds et il est resté un long moment à me regarder, mais j'ai fait semblant de dormir, les yeux bien fermés, et il a fini par s'en aller.

★

Il est très tard. J'avais du mal à dormir, alors j'ai décidé de faire une prière. Je dois avouer que c'est une de mes meilleures à vie. En fait, je deviens tellement bon qu'à un moment donné, je devrai peut-être reconsidérer ma position de païen impie.

— Je suis certain que Vous mangez à Votre faim là-haut dans le ciel, ai-je dit d'entrée de jeu. Mais ici-bas sur la terre, il y a des garçons qui ont exactement le même âge que moi et qui partiront pour l'école le ventre creux si la Mission de la Sainte Lumière ferme ses portes. N'insistez pas pour que je vous donne des noms, je ne le ferai pas – non, pas même à Vous. Ce n'est pas important, de toute façon. Ce qui compte, c'est que Vous portiez attention à ce qui va se passer à la séance du conseil municipal demain, et que Vous fassiez ce qu'il faut pour sauver notre soupe populaire. Et si, dans Votre sagesse éternelle, Vous jugez à propos de lâcher Votre colère sur Lyle Filbender pour le punir divinement de m'avoir menacé, je veux que Vous sachiez que je l'interpréterais comme une faveur personnelle. Fin.

Et voilà ! Après la Nuit de Marv, j'ai promis à Dieu que je cesserais de Le déranger pour des choses comme la pornographie et que je réserverais mes prières à des questions de vie ou de mort, et je pense avoir tenu ma promesse, parce que si le sauvetage de la Mission de la Sainte Lumière n'est pas une question de vie ou de mort, je ne sais pas ce que c'est. J'ai soudain l'impression que les choses vont bien se passer, demain.

★

Vous vous rappelez, la nuit dernière, quand j'ai dit que j'avais l'impression que les choses allaient bien se passer aujourd'hui ? Ce que je voulais dire, en fait, c'est que j'avais une intuition épouvantable... et que c'était en train de percer des trous dans la paroi de mon estomac. La séance du conseil municipal commence dans deux heures. Ça fait trois bols pleins de Lucky Charms que je vomis et je sue comme un cochon. Je ne pense pas être capable de le faire.

★

BANG ! BANG ! BANG !

Ma grand-mère est à la porte de la salle de bains. Elle veut entrer – elle dit que sa gaine est suspendue sur la barre à serviettes et qu'elle ne peut pas s'habiller si elle ne l'a pas.

C'est drôle, je n'ai rien vu d'autre que des serviettes sur la barre. Attendez... qu'est-ce que c'est que ça...?

Oh, mon Dieu ! *J'étais en train de m'essuyer le front avec la gaine de ma grand-mère !*

Excusez-moi, je pense que je vais dégobiller encore une fois.

★

Ma mère vient de s'éloigner ; ça faisait dix minutes qu'elle essayait de me convaincre de sortir de la salle de bains. En vain.

— Va-t'en ! lui ai-je crié. Je n'y vais pas, à la séance du conseil !

Elle m'a rappelé à quel point elle était fière de mon courage.

— Tu vas devoir te remettre à être fière de moi pour mon apparence ! ai-je braillé. Parce que je ne sors pas d'ici.

★

Vous n'en reviendrez pas. Je suis sorti. Et dans cinq minutes, on part pour l'hôtel de ville.

Tout ça grâce à mon père, si vous pouvez le croire : il a grimpé sur le toit de la cuisine et est entré dans la salle de bains par la fenêtre pendant que ma mère détournait mon attention à la porte. J'étais furieux quand je me suis retourné et que je l'ai vu debout devant moi, mais lui, d'une voix très calme, il m'a dit :

— Fiston, lâche la gaine de ta grand-mère et on va se parler, d'accord ?

Je ne m'étais même pas rendu compte que je serrais encore la foutue gaine dans mes mains, c'est vous dire à quel point j'étais parti ! Je l'ai laissé tomber en poussant un hurlement et là, mon père s'est assis sur le bord de la baignoire et s'est excusé pour tout.

— J'étais dans l'erreur, a-t-il dit. Les choses ne sont pas plus compliquées quand on est adulte. C'est seulement que les adultes aiment le croire, parce que, de cette façon, c'est plus facile de faire ce qu'ils veulent faire plutôt que ce qu'il faut faire.

Il a mis la main dans sa poche et en a retiré une lettre froissée.

— Ma démission de LAPSLA, a-t-il dit en l'agitant devant mon nez. En vigueur dès maintenant.

Pendant un long moment, il y a promené les doigts, les sourcils froncés.

— Je ne vais pas te forcer à assister à la séance, fiston, a-t-il fini par me dire, en levant les yeux. Mais je veux que tu saches que je serai extrêmement fier d'être à tes côtés si tu décides d'y aller.

Qu'est-ce que je pouvais faire ? Je l'ai laissé m'enlacer, puis j'ai déverrouillé la porte de la salle de bains et j'ai embrassé ma mère. Elle a ri et m'a embrassé à son tour, puis elle a embrassé mon père, qui m'a embrassé encore une fois. C'était une telle frénésie d'embrassades que j'ai même embrassé ma grand-mère, jusqu'à ce que je remarque son regard.

— Ma... gaine ? a-t-elle demandé dans un souffle, les narines frémissantes.

Je l'ai serrée dans mes bras une dernière fois, puis j'ai indiqué la salle de bains avec mon pouce et j'ai couru m'habiller.

★

VICTOIRE ! VICTOIRE ! VICTOIRE !

On a réussi ! On a vraiment réussi ! Le conseil a décidé d'inclure dans son nouveau budget trois années de financement pour la Mission de la Sainte Lumière. C'est un miracle !

Honnêtement, il y a des moments où j'ai eu de gros doutes. C'était très intimidant d'entrer à l'hôtel de ville. Et les trois points à l'ordre du jour avant le nôtre se sont étirés sur presque deux heures. Ils étaient très ennuyants, comparés à la question importante que nous abordions. Qui s'intéresse aux contraventions bilingues ? Et peut-on vraiment s'imaginer que de construire un hôtel cinq étoiles pour les chats est plus important que de fournir des repas chauds à des êtres humains ?

Plus la femme aux chats s'étendait sur son sujet, plus je me sentais malade. Je suis allé aux toilettes au moins une douzaine de fois ; j'ai relu mon discours jusqu'à ce que les mots commencent à devenir flous. L'endroit était bondé et la tension montait. De l'autre côté de la salle, Lyle Filbender a fait plusieurs gestes indécents en ma direction avant de se passer l'index sur la gorge, indiquant clairement son intention de me tuer ! Alarmé, j'ai filé vers mademoiselle Thorvaldson pour lui faire part de cette menace sur ma personne, mais sur ces entrefaites, la femme aux chats a terminé son allocution et le conseil a présenté notre requête.

Jerry a été le premier à parler pour notre cause. Il s'est montré éloquent et passionné, et il a très bien fait ressortir la nécessité d'une soupe populaire communautaire. Marv a été le premier à parler pour l'autre partie. Il écumait pas mal de la bouche et il brandissait sa canne de façon menaçante en direction de la section de la galerie où se trouvaient les partisans de la soupe populaire.

Puis mon tour est venu.

La marche vers le podium a été atroce et, une fois que j'ai été rendu, le micro était beaucoup trop haut pour moi, et j'ai dû rester là comme un débile jusqu'à ce qu'un préposé vienne le mettre à ma portée. Puis j'ai ouvert la bouche et ma voix sonnait tellement fêlée qu'on aurait dit un retour de son dans un haut-parleur. Je vous jure que j'ai failli prendre la poudre d'escampette – en fait, mes yeux fouillaient la salle à la recherche de la sortie de secours. C'est là que j'ai aperçu Daryl. Il était seul au fin fond de la salle, à demi caché dans l'ombre d'une colonne. Il ne m'a fait aucun signe d'encouragement – je ne pouvais même pas savoir s'il me regardait –, mais de le voir là m'a rappelé pourquoi moi, j'étais venu, alors j'ai pris une profonde inspiration et j'ai commencé à parler.

Je ne me rappelle pas la moitié de ce que j'ai dit, mais ce que je sais, c'est que j'ai été au moins un million de fois plus convaincant que Lyle Filbender. Quand il a parlé, on aurait dit un robot-détective en manque d'une nouvelle pile, et il a fallu qu'on le réprimande à deux reprises pour avoir traité de «vauriens» les clients de la Mission. Et après, en redescendant du podium, il a trébuché et il est tombé en pleine face. Je savais que c'était bon signe – parce qu'après que Jerry et Marv ont eu présenté leur discours de réfutation, les conseillers municipaux ont discuté entre eux pendant seulement quelques minutes avant d'annoncer la bonne nouvelle. Jerry a fermé les yeux et est tombé à genoux. Les Femmes gaies pour la responsabilité sociale ont bondi sur leurs pieds. Tout le monde s'est mis à crier. Il y avait des clics et des flashes de caméra partout et les journalistes jouaient des coudes pour obtenir des entrevues exclusives. Ma mère, mon père, tante Maude et Ruth m'ont entouré et nous sommes restés chaleureusement enlacés tous ensemble jusqu'à ce que Janine se fraie un chemin vers moi et que je les abandonne pour me laisser embrasser par elle.

Quand la foule s'est dispersée, j'ai cherché Daryl des yeux, mais il avait dû s'éclipser tout de suite après l'annonce de la décision. Mademoiselle Thorvaldson est venue me féliciter, cependant, et elle m'a même présenté son copain, monsieur Loewen, un petit homme agréable à regarder qui a gardé son bras autour d'elle tout le temps.

— Elle est vraiment impressionnante, n'est-ce pas ? lui ai-je demandé en lui pompant solidement la main tout en souriant à mon enseignante.

— Oui, tout à fait, a-t-il acquiescé avec un sourire.

Après ça, alors que nous montions à la queue leu leu dans l'autobus qui nous ramènerait à l'école, j'ai dit à mademoiselle Thorvaldson que son copain paraissait sympathique et j'ai voulu savoir si elle avait des intentions sérieuses à son endroit. Elle m'a répondu que ce n'était pas de mes affaires et, un peu plus tard, elle m'a collé une retenue quand elle m'a surpris à faire rigoler mes camarades en embrassant passionnément mon sac de gym tout en gémissant : « Oh, mademoiselle Thorvaldson ! C'est moi, monsieur Loewen ! »

Quand même, la séance du conseil municipal a été toute une expérience – et on a gagné !

★

Mes parents ont organisé un souper de célébration à la maison : ils sont allés chercher une quantité de paniers de poulet frit et plein de contenants en styromousse grand format de tous les plats d'accompagnement qui figurent au menu, ainsi que plusieurs sacs de mini-brownies. Les Sweetgrass sont venus, croulant presque sous le poids des pâtisseries fraîchement sorties du four qu'ils apportaient du Blue Moon Café. Daryl est arrivé avec trois sacs de Doritos qu'il avait sans doute piqués au dépanneur de la station-service de Marv juste avant d'être mis à la porte pour de bon, et Jerry s'est présenté avec une boîte géante de petits gâteaux éponges sous chaque bras. Ô l'abondance ! J'avais une boule dans la gorge, qui n'était aucunement reliée aux deux contenants de sauce que j'avais gobés, sans aide, dans cette orgie de consommation.

Après le souper, on s'est tous assis au salon pour parler avec animation des événements de la journée. Daryl a fait une imitation hilarante de Lyle Filbender qui tombait en pleine face et on s'est tous écroulés de rire. Ce qui a tellement stimulé Lucy, la petite sœur de John Michael, qu'elle a commencé à se trémousser à travers la pièce. Mon père a allumé la chaîne stéréo et on s'est tous mis à danser – tous, sauf ma grand-mère, qui avait mangé avec appétit, mais dans un silence renfrogné.

Pendant qu'on tourbillonnait comme ça, tante Maude et Ruth ont soudain annoncé que la sauvegarde de la soupe populaire n'était pas la seule grande nouvelle à célébrer, parce que tante Maude venait d'apprendre qu'elle avait réussi à devenir enceinte par insémination artificielle. Elle et Ruth vont devenir des mamans ! J'ai sauté de joie jusqu'à ce que le poulet frit en fasse autant et que je m'effondre en soufflant bruyamment.

— Pourquoi souffles-tu aussi bruyamment ? ai-je demandé à ma grand-mère, qui s'agrippait au bras du sofa comme si elle était à l'article de la mort.

Elle m'a jeté un regard éperdu, mais n'a pas répondu.

J'imagine qu'elle et moi nous devrions lâcher un peu le poulet frit.

★

Aujourd'hui, mes camarades et moi avons parlé presque uniquement de ma brillante performance d'hier devant le conseil et je dois dire que je n'ai jamais autant aimé l'école. Janine avait manifestement envie de coller son corps contre le mien, mais elle a dû se mettre en file comme les autres chéries qui voulaient un morceau de moi.

— Du calme, mesdames ! Il y en a bien assez pour tout le monde, ai-je ri en acceptant un rouleau de Life Savers de la part de Théodore Pinker, qui me les a donnés sans même les avoir léchés.

Lyle Filbender était tellement décontenancé par ma popularité explosive qu'il s'est jeté sur moi pendant le cours de musique, mais il a trébuché sur un bongo et s'est mis à saigner du nez. Et plus tard, mademoiselle Thorvaldson a entendu Missy Shoemaker dire que j'avais vraiment bien fait ça pour un morpion avec une queue de cinq centimètres, et elle lui a donné une retenue.

La journée a été tellement parfaite que je vais peut-être proposer à ma mère de ne plus jamais retourner à l'école. Pourquoi y retourner, en effet ? Après une telle apothéose, ça ne peut plus que retomber vers le bas.

★

Ma mère n'a pas très bien reçu ma proposition de décrochage scolaire, mais ce n'est pas grave, parce que ce matin, alors qu'on marchait vers l'école, John Michael et moi, une vieille dame vêtue d'un chapeau bleu tout usé et d'un manteau crasseux s'est approchée de nous. C'était Lydia, une habituée de la soupe populaire. Pendant un long moment, elle s'est contentée de me dévisager, les yeux pleins d'eau. Puis, elle a lâché :

— Hé ! C'est pas toi, le gars qui a sauvé la Mission de Jerry ?

Quand j'ai fait oui de la tête, elle m'a gratifié d'un grand sourire de ses lèvres craquelées.

Puis, elle a agité une moitié de sandwich en ma direction et a poursuivi son chemin.

Ma popularité s'étend au-delà du citoyen moyen, et même jusqu'en périphérie de la société. Hourra !

★

Ma grand-mère a démantelé le centre de crise ce soir. Ma mère est soulagée de reprendre possession de la salle à manger, et mon père dit qu'il faudra trouver quelqu'un pour effacer les traces de coups que le maillet en bois de ma grand-mère a faites sur la surface de la table, mais moi, j'ai vraiment de la peine pour elle. Maintenant qu'elle n'a plus de cause pour laquelle se battre – ni de petit-fils chéri à gâter –, elle paraît pas mal perdue.

Et si je lui proposais de me payer la traite avec un repas de côtes levées au barbecue ?

★

Le directeur m'a fait la surprise de me décerner un certificat pour services rendus à la communauté, afin de souligner mon dévouement à la cause de la soupe populaire ! Toute l'école était rassemblée au gymnase – et la très jolie Lori Anderson, de la chaîne de télévision CTY, était présente, ainsi que la journaliste aux lunettes en écailles. Le directeur m'a présenté et a entraîné le corps étudiant dans un tonnerre d'applaudissements. Puis, après m'avoir remis un charmant certificat gaufré orné de dorures, il a passé le micro à une mademoiselle Thorvaldson passablement abasourdie.

— Vous avez eu le plaisir de sa présence dans votre classe toute l'année durant, Énide, a-t-il gloussé en gardant un œil sur la caméra. Qui, mieux que vous, pourrait dire quelques mots au sujet de ce jeune homme exceptionnel ?

Mademoiselle Thorvaldson avait l'air tellement malade que je me suis demandé si elle aussi avait une peur pathologique de parler en public. Elle a haleté un long moment en tortillant son gilet à col roulé avant de se ressaisir et de prendre la parole.

— Un peu plus fort, s'il vous plaît, ai-je murmuré en lui adressant un sourire éblouissant, je pense que les gens à l'arrière ont du mal à vous entendre.

Après un grincement de dents, elle a poursuivi et, bien que son discours ait été extrêmement bref, j'étais tellement touché par ses paroles aimables que ça m'a à peine dérangé qu'elle refuse de m'embrasser à la fin de mon assemblée.

★

Eh bien, j'ai pas mal réfléchi ces derniers jours, et j'ai décidé que ce serait le moment idéal pour mettre un point final aux enregistrements de mon enfance. J'arrive à la fin d'une cassette et, du reste, je viens de livrer une bataille épique que j'ai gagnée – pour ainsi dire sans aide. Quel chapitre formidable dans le succès de librairie que seront un jour mes mémoires ! Et en me servant de cette apogée comme tremplin pour filer directement vers l'âge adulte, j'éviterai de soumettre mes lecteurs aux embarrassantes situations potentielles qui pourraient encore sillonner mon avancée vers la maturité totale. Des trucs comme des boutons, des broches, des poussées de croissance et ma voix qui va muer. Mes premières sorties en couple – mes premières blondes –, mes premières relations sexuelles ! Bien que je sois tout à fait confiant en mes capacités de traverser ces situations avec grâce et aplomb, il persiste toujours un faible risque que je fasse quelques faux pas. Et même si la responsabilité de me faire avoir l'air fou retombera certainement sur les épaules de quelque pauvre bougre, je pense quand même qu'il vaut mieux que mes loyaux lecteurs gardent de ma jeunesse l'image persistante d'un héros célèbre qui…

FIN DE LA CASSETTE

TROIS JOURS PLUS TARD...

Cassette n° 4

Je me suis rappelé le rire de Jerry, sa façon de tendre des tasses de café instantané à la porte de la Mission quand il faisait un froid intense et de s'inquiéter des gens que tout le reste du monde avait oubliés.

Je me suis procuré une nouvelle cassette… je… Il le fallait. Je me sens tellement tout à l'envers que je ne sais pas ce que je pourrais dire autrement ni à qui.

Je n'en reviens pas.

Ils ont fermé la Mission. Ils l'ont fermée ! Ces… ces bâtards !

Je venais d'aller chercher une profiterole au Blue Moon Café et je me dirigeais vers le dépanneur pour acheter une barbotine quand, en passant devant la Mission, j'ai remarqué un gros cadenas sur la porte. Je n'en ai pas trop fait de cas, de prime abord, mais en m'approchant j'ai aperçu un écriteau qui disait : « Fermé par manque de financement ». J'ai cru à une blague – ou à une erreur. Car enfin… qu'est-ce que ça pourrait être d'autre qu'une blague ou une erreur ? Ils ont promis à Jerry de lui donner son financement. Ils le lui ont promis.

Mais ce n'était ni une blague ni une erreur. Quand j'ai regardé par la fenêtre crasseuse de la Mission de la Sainte Lumière, l'endroit était vide.

Je suis revenu au Blue Moon Café en courant et je suis entré en trombe.

— Madame Sweetgrass ! Madame Sweetgrass ! ai-je crié.

Mais avant qu'elle puisse répondre, Jerry est arrivé à son tour. Il venait de passer chez moi, où il pensait me trouver.

— J'aurais voulu t'annoncer la nouvelle moi-même, a-t-il dit. On a perdu notre financement – tout notre financement. Quelqu'un a réussi à convaincre certains conseillers municipaux indécis de ne pas voter en faveur du budget tant que le financement de la Mission n'en aurait pas été retiré. Il faut croire que les autres conseillers ont estimé ce point tellement insignifiant que ça ne valait pas la peine de retarder l'adoption du budget pour si peu.

Il a passé sa main sur son front.

— Notre permis était déjà échu depuis un certain temps et ça faisait deux mois que nous ne payions pas le loyer. Alors, quand le propriétaire a appris que nous avions perdu notre financement, il a mis le cadenas sur la porte.

Poussant un soupir, Jerry a posé la main sur mon épaule.

— Essaie de ne pas te sentir trop mal, a-t-il dit. On a fait tout ce qu'on pouvait.

Je l'ai regardé et j'ai eu un haut-le-corps.

— MAIS ON S'EN TAPE, DE ÇA ! ai-je crié en me dégageant de sa main. LE FAIT EST QUE LES GENS NE PEUVENT PLUS VENIR MANGER CE QUE NOUS AVONS DE MEILLEUR POUR DÉJEUNER !

J'avais la gorge si serrée que j'avais du mal à respirer. Je suis sorti en coup de vent et, en ce moment, je suis barricadé dans ma chambre. Je n'irai plus jamais nulle part, et je ne ferai plus rien non plus. À quoi bon faire quoi que ce soit dans un monde où on ne juge pas important de voter des budgets pour soulager les enfants affamés ?

★

Ma mère n'a pas essayé de m'envoyer à l'école aujourd'hui, et elle a bien fait parce que je n'y serais pas allé, de toute façon. J'ai passé toute la journée à me ballotter dans mon lit avec un oreiller sur la tête et je n'ai pas mangé une seule bouchée des plateaux que ma mère m'a apportés. Elle les avait garnis de mes mets préférés – galettes et saucisses à déjeuner, sandwiches au beurre d'arachide, gâteaux au chocolat –, mais j'avoue très franchement que la vue de tous ces aliments me donnait envie de dégueuler.

★

Mon père et moi avons téléphoné à toutes les personnes auxquelles nous avons pensé, mais aucun politicien n'a accepté de faire de commentaires, et les médias ne nous rappellent pas.

Le sort de la Mission de la Sainte Lumière, c'est oublié, balayé. Ce sont de vieilles nouvelles, déjà.

★

Aujourd'hui, John Michael est venu faire un tour après la classe pour voir si j'allais bien, mais j'ai dit à ma mère de le renvoyer. Je lui aurais dit de renvoyer Daryl, aussi, sauf qu'il n'est pas venu.

★

Ça fait trois jours que je ne mange pas, que je ne regarde pas la télé et que je n'ai pas changé de pyjama. Mes parents s'inquiétaient tellement qu'ils ont demandé à ma jolie psychologue, la docteure Anderson, de faire une visite à domicile.

— Ce n'est pas vraiment nécessaire, lui ai-je dit tandis qu'elle s'assoyait à l'autre bout du divan. C'est sûr que je suis malheureux, mais avec la fermeture de la soupe populaire, vous ne pensez pas qu'il y a des enfants, là-bas, qui ont besoin de votre aide bien plus que moi?

Elle a essayé de m'expliquer que mes problèmes étaient tout aussi importants que les leurs, mais je lui ai dit que c'était de la bouillie pour les chats et qu'en ce qui me concernait, mes séances avec elle étaient terminées.

— Eh bien, voyons voir comment tu te sentiras dans quelques semaines, a-t-elle suggéré gentiment en enfilant son manteau pour prendre congé. En passant, ma sœur m'a demandé de t'offrir ses condoléances. Elle prenait vraiment pour toi et pour les gens de la Mission.

— Votre sœur? ai-je bâillé en me grattant la bedaine.

— Oui, Lori, la journaliste de la chaîne de télévision CTY.

Allez savoir pourquoi, cette information a eu l'heur de percer le brouillard de mon désespoir. Lentement, j'ai réussi à me soulever du divan et j'ai suivi la docteure Anderson jusqu'à la porte.

— Vous ne m'aviez jamais dit que vous aviez une sœur, lui ai-je fait remarquer, quelque peu dépité.

— En fait, j'en ai deux, a-t-elle répondu en descendant l'escalier de la façade. Nous sommes des triplées.

Non, mais sans blague!

★

Ce soir, ma grand-mère est entrée dans la salle de télévision et m'a dit que le temps était venu d'arrêter de me prendre en pitié. Elle a souligné que je faisais un trop gros plat de ce qui s'était passé, surtout si on considérait qu'en tant qu'héritier de la Maison des toilettes je bénéficierais personnellement de l'amélioration du climat dont jouirait la communauté des affaires, maintenant que la Mission était fermée.

— Essaie de voir le beau côté des choses, m'a-t-elle suggéré. Cette fermeture va probablement motiver certaines de ces personnes à trouver des emplois de façon à ne pas avoir besoin d'une soupe populaire.

Debout devant moi, grande, immobile et silencieuse, elle attendait ma réaction. Comme je ne disais rien, elle s'est affalée sur le divan à mes côtés en soupirant bruyamment.

— Au cas où tu te poserais la question, a-t-elle dit, je n'ai rien à voir avec les manigances qui se sont passées en coulisse après cette foutue séance.

Alors, je l'ai regardée, ce que je n'avais pas fait jusque-là.

Après un moment d'hésitation, elle a enchaîné d'une voix un tantinet plus douce :

— Toi, le blanc-bec, tu me prends pour une vieille chauve-souris égoïste et insensible, mais sache que j'observe les règles du jeu. Et il se trouve que ta victoire était sans équivoque. Je ne prétends pas être d'accord avec ta position – et je ne peux même pas dire, honnêtement, que je la respecte –, mais je suis désolée qu'on t'ait joué ce sale tour, et... je suis prête à passer l'éponge si tu en fais autant.

Je n'avais pas vraiment envie de passer l'éponge, mais en écoutant ma grand-mère, j'ai soudain compris à quel point je voulais que les choses reviennent à ce qu'elles avaient toujours été entre elle et moi. Alors, en haussant les épaules, je lui ai rappelé que j'avais toujours eu un faible pour un bon souper aux côtes levées.

— Eh bien, alors, qu'est-ce qu'on attend ? s'est-elle écriée en se tapant les genoux.

Je me suis relevé et, pour la première fois en plusieurs jours, j'ai senti que j'avais faim. Et là, comme je passais près d'elle pour monter m'habiller, elle m'a entouré de son bras sans rien dire et elle m'a serré. Une sensation agréable.

★

Ma grand-mère a fait ses bagages et est retournée en Floride par le premier vol en partance, ce matin.

— Pour le meilleur et pour le pire, le travail que j'avais à faire ici est terminé. Pour l'instant, en tout cas, a-t-elle déclaré en regardant mon père traîner de peine et de misère ses énormes malles dans l'escalier de la façade pour les déposer dans le coffre du taxi qui attendait à la porte. Mais vous pouvez être certains que je serai de retour quand ma fille lesbienne et célibataire arrivera au terme de sa grossesse. Sainte Mère, ayez pitié de nous ! Je n'arrive pas très bien à comprendre où s'en va le monde, de nos jours.

Mes parents ont tous deux levé les yeux au ciel, mais je lui ai dit :

— Pas besoin de t'inquiéter, grand-maman. Même si mon partenaire gay et moi-même n'avons pas très bien réussi à jongler avec les exigences de l'éducation d'Henry, notre fils adoré, tante Maude et Ruth vivent clairement une relation d'amour et de soutien mutuel, idéale pour élever des enfants.

Je ne pense pas que mes mots l'aient tellement réconfortée, parce qu'elle a lancé un gros « pffff » et qu'elle a dévalé l'escalier et couru jusqu'au taxi. Pendant qu'elle s'installait sur la banquette arrière, j'ai passé la tête par la fenêtre ouverte, je lui ai dit que je l'aimais, et je lui ai demandé si elle allait laisser mon père continuer à diriger le magasin phare de la Maison des toilettes.

— Ai-je le choix ? a-t-elle soupiré. Les profits sont en hausse de dix-huit pour cent. L'argent parle très fort.

Sur ce, elle a ordonné au chauffeur de la conduire à l'aéroport et elle est partie.

★

Je me suis finalement senti assez fort pour retourner à l'école, aujourd'hui. On aurait dit que tout le monde savait que Jerry avait perdu son financement. C'était très embarrassant. D'accord, on ne me traitait pas comme un lépreux, mais on voulait savoir si j'allais rendre mon certificat pour services rendus à la communauté, puisque la soupe populaire avait tout de même fini par fermer. J'ai envoyé promener la vaste majorité de tous ceux qui m'ont posé la question en leur disant de s'occuper de leurs oignons, mais, plus tard, j'ai repêché dans mon casier le certificat en carton gaufré orné de dorures, je l'ai déchiré en petits morceaux et j'ai jeté le tout dans une cuvette des toilettes. Je me prenais pas mal en pitié, et j'imagine que mademoiselle Thorvaldson partageait ce sentiment, parce que, quand la cuvette a débordé, plus tard, et que le concierge a produit la preuve irréfutable de ma responsabilité, elle ne m'a même pas donné de retenue.

La plus grosse surprise, cependant, a été de constater que Lyle Filbender ne m'a pas asticoté une seule fois de toute la journée. Touché par cette manifestation sans précédent de considération pour mes états d'âme, j'ai pris un moment avant de quitter l'école pour le féliciter d'avoir fait un premier pas hésitant sur la voie de l'humanité civilisée. Vingt minutes plus tard, j'ai retiré mon gentil compliment quand Lyle et sa bande de voyous de LAPSLA Junior ont jailli de derrière un tas de ferraille dans le terrain vacant adjacent à la Mission barricadée pour nous surprendre, John Michael et moi, tandis qu'on revenait de l'école. Ils se sont approchés avec leurs gros sabots et se sont placés devant nous sur le trottoir de façon à nous bloquer le chemin.

— Et alors, a persiflé Lyle.

En souriant à ses acolytes, il m'a donné une brusque poussée sur l'épaule.

— Qui c'est, le champion, maintenant, hein ?

Instinctivement, John Michael s'est rapproché pour me protéger, mais je l'ai doucement repoussé de côté. Je pensais à la question de Lyle et aux nombreuses excellentes réponses que je pourrais lui donner.

Puis, je l'ai frappé dans les couilles de toutes mes forces.

— C'est moi, ai-je répondu en le regardant se tordre de douleur sur le trottoir sale. Allez, viens, John Michael, allons voir ta mère au cas où, des fois, il lui resterait de la tarte aux pacanes d'hier.

John Michael a acquiescé sans mot dire, les babouins de Lyle se sont séparés comme la mer Rouge et nous avons poursuivi notre chemin.

★

Je n'ai pas reparlé à Daryl depuis que la Mission a fermé ses portes. L'autre jour, je l'ai vu bavarder avec de jeunes squeegees qui travaillaient sur le boulevard en face de la station-service de Marv, mais je me suis caché derrière un immeuble quand il a regardé dans ma direction. Je ne sais tout simplement pas quoi lui dire.

★

Nous avons invité Jerry à souper à la maison, ce soir. Il s'en va travailler à une soupe populaire à Medecine Hat, en Alberta. Je lui ai dit que j'étais surpris qu'il ait trouvé un autre emploi aussi rapidement et il s'est mis à rire.

— Il ne manque pas d'emplois pour des gens comme moi dans le vaste monde, a-t-il déclaré en prenant une autre galette de bœuf Salisbury. En fait, ce sera ma quatrième mission en trois ans.

Il a raconté qu'elles avaient toutes fermé, comme la Mission de la Sainte Lumière.

— Bien des raisons expliquent ces fermetures, mais la plupart du temps, c'est une question de financement.

D'un air pensif, il mastiquait la viande caoutchouteuse. Il a fini par l'avaler, puis il a ajouté :

— Le fait est que, souvent, les gens qui sont dans la meilleure position pour aider ne se sentent pas du tout concernés par le problème. On peut résumer les choses ainsi.

Après le souper, il nous a remerciés pour tout, mes parents et moi, et il nous a embrassés, l'un après l'autre.

— Ne lâche pas ! m'a-t-il recommandé en prenant congé. Tu fais du bon travail.

J'ai souri et je lui ai répondu que je devrais consulter mon agenda. Puis je lui ai souhaité bonne chance en le saluant de la main.

★

Cette fin de semaine, pour la première fois depuis que Jerry a quitté la ville, je suis repassé devant la Mission barricadée. Un nouvel écriteau était affiché sur la porte : « Ouverture prochaine – Chez Carl, prêteur sur gages. » Je l'ai fixé pendant un long moment. Les dernières rafales de l'hiver faisaient voler de vieux journaux aux alentours et il n'y avait personne dans les rues, sauf les jeunes squeegees. En les voyant agiter leurs cannettes presque vides devant les véhicules en mouvement, je me demandais s'ils avaient faim. Et je me suis rappelé le rire de Jerry, sa façon de tendre des tasses de café instantané à la porte de la Mission quand il faisait un froid intense et de s'inquiéter des gens que le reste du monde avait oubliés.

★

Hier soir, tandis que je tournais les pages d'un de mes vieux magazines pornos, ma mère a frappé à ma porte et a piqué une tête dans ma chambre. Je suis pas mal certain qu'elle a aperçu la petite renarde blonde en pyjama sexy étalée sur la page centrale glacée avant que je puisse la glisser sous mon oreiller, mais elle n'a rien dit. Elle est simplement venue s'asseoir sur le bord de mon lit et m'a répété à quel point elle était fière de moi.

— Oui, bon, mais ça n'aide pas vraiment qui que ce soit, pas vrai ? ai-je répliqué avec impatience.

J'avais juste envie de revenir à ma renarde.

— Non, en effet, a-t-elle dit lentement. Mais… si je te disais que tu pouvais inviter un ami à prendre ses repas ici, toutes les fois que tu veux ? Est-ce que ça, ça aiderait ?

Avant que je puisse répondre, elle a enchaîné :

— Dans certaines situations, c'est impossible de changer les choses, mon chou. Mais on peut parfois changer quelque chose pour une personne à la fois.

J'ai réfléchi à ses paroles. Ce qu'elle disait ne concordait pas exactement avec l'image que j'ai de moi-même – moi, le militant à la vaste influence et le chouchou des médias –, mais ça avait un certain bon sens.

Alors, je l'ai remerciée, elle est sortie de ma chambre et je suis retourné à ma renarde.

Quelques heures plus tard, j'ai éteint la lumière et, pour la première fois depuis des semaines, j'ai dormi profondément.

J'avais enfin quelque chose à dire à Daryl.

★

Dès que l'école a été finie, cet après-midi, j'ai filé chez Daryl. Tout le long du chemin, je répétais ce que j'allais lui dire, mais en arrivant, mes nerfs ont flanché tout d'un coup et j'ai dû m'asseoir sur un vieux pneu dans la cour devant chez lui pour faire des exercices de respiration. Malheureusement, Daryl, qui regardait justement dehors par la fenêtre du salon, m'a aperçu. Alors, il est sorti en catimini par la porte arrière, s'est approché sur la pointe des pieds et il a crié « BOU ! » aussi fort qu'il pouvait. J'ai été tellement surpris que j'ai basculé dans le pneu et là, on s'est retrouvés comme dans le bon vieux temps, avec Daryl qui me sautait dessus en criant et en faisant rebondir mon pauvre postérieur sur la terre froide et mouillée. Il a fini par se fatiguer après un moment et il s'est laissé tomber à mes côtés.

— Alors…, a-t-il fait.

— Alors…, ai-je répondu.

Et là, avant que le courage me fasse défaut, je lui ai demandé s'il voulait venir déjeuner à la maison.

— Quand ça ? a-t-il voulu savoir.

— Eh bien..., tous les jours. Ma mère a dit que tu pouvais.

Il avait l'air inquiet et je me suis empressé de préciser qu'elle n'était au courant de rien sur quoi que ce soit.

— Elle m'a seulement dit que je pouvais inviter un ami à prendre des repas avec nous, si je voulais, ai-je expliqué. C'est tout.

Comme il demeurait silencieux, j'ai ajouté :

— Nous avons toujours quelques boîtes de Lucky Charms qui traînent par-ci par-là, tu sais.

Après quelques secondes, Daryl m'a jeté un long regard de côté.

— Eh bien, les Lucky Charms sont vraiment délicieuses, a-t-il dit en haussant les épaules comme si ça n'avait pas beaucoup d'importance pour lui.

— Magiquement délicieuses ! ai-je rigolé en passant un bras autour de ses épaules.

Avec un grognement, il m'a flanqué un coup dans les côtes en me disant de cesser de faire l'idiot, puis il m'a entraîné à l'intérieur pour que je puisse me sécher.

MAUREEN FERGUS

En plus d'être auteure, Maureen Fergus est une femme d'affaires, détentrice d'un bac en science et d'un MBA. Ses écrits ont été publiés dans des magazines comme *Today's Parents* et *Châtelaine*. *Exploits of a Reluctant (But Extremely Goodlooking) Hero* est son premier roman. Elle vit avec son mari et ses trois enfants à Winnipeg, au Manitoba, et ne sert qu'occasionnellement du poulet frit pour souper.

MARIE-ANDRÉE CLERMONT

Bachelière en Lettres et en traduction, Marie-Andrée Clermont mène une double carrière d'auteure et de traductrice. Idéatrice de la collection Faubourg St-Rock, qu'elle dirige depuis vingt ans, elle ne s'ennuie jamais. Née à Montréal où elle a élevé ses trois garçons, elle vit dans les Laurentides avec son mari depuis 2003, et ce sont ses neuf petits-enfants, désormais, qui l'inspirent. Le poulet frit ? Très peu pour elle !

Collection Conquêtes

40. **Le 2 de pique met le paquet,** de Nando Michaud
41. **Le silence des maux,** de Marie-Andrée Clermont en collaboration avec un groupe d'élèves de 5e secondaire de l'école Antoine-Brossard, mention spéciale de l'Office des communications sociales 1995
42. **Un été western,** de Roger Poupart
43. **De Villon à Vigneault,** anthologie de poésie présentée par Louise Blouin
44. **La Guéguenille,** nouvelles de Louis Émond
45. **L'invité du hasard,** de Claire Daignault
46. **La cavernale, dix ans après,** de Marie-Andrée Warnant-Côté
47. **Le 2 de pique perd la carte,** de Nando Michaud
48. **Arianne, mère porteuse,** de Michel Lavoie
49. **La traversée de la nuit,** de Jean-François Somain
50. **Voyages dans l'ombre,** nouvelles d'André Lebugle
51. **Trois séjours en sombres territoires,** nouvelles de Louis Émond
52. **L'Ankou ou l'ouvrier de la mort,** de Daniel Mativat
53. **Mon amie d'en France,** de Nando Michaud
54. **Tout commença par la mort d'un chat,** de Claire Daignault
55. **Les soirs de dérive,** de Michel Lavoie
56. **La Pénombre Jaune,** de Denis Côté
57. **Une voix troublante,** de Susanne Julien
58. **Treize pas vers l'inconnu,** nouvelles fantastiques de Stanley Péan
60. **Le fantôme de ma mère,** de Margaret Buffie, traduit de l'anglais par Martine Gagnon

61. **Clair-de-lune,** de Michael Carroll, traduit de l'anglais par Michelle Tisseyre
62. **C'est promis ! Inch'Allah !** de Jacques Plante, traduit en italien
63. **Entre voisins,** collectif de nouvelles de l'AEQJ
64. **Les Zéros du Viêt-nan,** de Simon Foster
65. **Couleurs troubles,** de Lesley Choyce, traduit de l'anglais par Brigitte Fréger
66. **Le cri du grand corbeau,** de Louise-Michelle Sauriol
67. **Lettre de Chine,** de Guy Dessureault, finaliste au Prix du Gouverneur général 1998, traduit en italien
68. **Terreur sur la Windigo,** de Daniel Mativat, finaliste au Prix du Gouverneur général 1998
69. **Peurs sauvages,** collectif de nouvelles de l'AEQJ
70. **Les citadelles du vertige,** de Jean-Michel Schembré, prix M. Christie 1999
71. **Wlasta,** de Laurent Chabin
72. **Adieu la ferme, bonjour l'Amazonie,** de Frank O'Keeffe, traduit de l'anglais par Hélène Filion
73. **Le pari des Maple Leafs,** de Daniel Marchildon. Sélection Communication-Jeunesse
74. **La boîte de Pandore,** de Danielle Simd
75. **Le charnier de l'Anse-aux-Esprits,** de Claudine Vézina. Sélection Communication-Jeunesse
76. **L'homme au chat,** de Guy Dessureault, finaliste au Prix du Gouverneur général 2000 et sélection Communication-Jeunesse
77. **La Gaillarde,** de Denis et Simon Robitaille
78. **Ni vous sans moi, ni moi sans vous : la fabuleuse histoire de Tristan et Iseut,** de Daniel Mativat, finaliste au Prix du Livre M. Christie 2000 et sélection Communication-Jeunesse

79. **Le vol des chimères : sur la route du Cathay,** de Josée Ouimet. Sélection Communication-Jeunesse

80. **Poney,** de Guy Dessureault. Sélection Communication-Jeunesse

81. **Siegfried ou L'or maudit des dieux,** de Daniel Mativat. Sélection Communication-Jeunesse

82. **Le souffle des ombres,** d'Angèle Delaunois. Sélection Communication-Jeunesse

83. **Le noir passage,** de Jean-Michel Schembré

84. **Le pouvoir d'Émeraude,** de Danielle Simard. Sélection Communication-Jeunesse

85. **Les chats du parc Yengo,** de Louise Simard. Sélection Communication-Jeunesse

86. **Les mirages de l'aube,** de Josée Ouimet. Sélection Communication-Jeunesse

87. **Petites malices et grosses bêtises,** collectif de nouvelles de l'AEQJ

88. **Les caves de Burton Hills,** de Guy Dessureault

89. **Sarah-Jeanne,** de Danielle Rochette. Sélection Communication-Jeunesse

90. **Le chevalier des Arbres,** de Laurent Grimon. Sélection Communication-Jeunesse

91. **Au sud du Rio Grande,** d'Annie Vintze. Sélection Communication-Jeunesse

92. **Le choc des rêves,** de Josée Ouimet. Sélection Communication-Jeunesse

93. **Les pumas,** de Louise Simard

94. **Mon père, un roc !** de Claire Daignault

95. **Les rescapés de la taïga,** de Fabien Nadeau

96. **Bec-de-Rat,** de David Brodeur

97. **Les temps fourbes,** de Josée Ouimet

98. **Soledad du soleil,** d'Angèle Delaunois. Sélection Communication-Jeunesse

99. **Une dette de sang,** de Daniel Mativat

100. **Le silence d'Enrique,** d'Annie Vintze

101. **Le labyrinthe de verre,** de David Brodeur

102. **Evelyne en pantalon,** de Marie-Josée Soucy. Prix Cécile Gagnon 2006

103. **La porte de l'enfer,** de Daniel Mativat. Sélection Communication-Jeunesse

104. **Des yeux de feu,** de Michel Lavoie

105. **La quête de Perce-Neige,** de Michel Châteauneuf. Finaliste au Prix Cécile Gagnon 2006

106. **L'appel du faucon,** de Sylviane Thibault

107. **Maximilien Legrand, détective privé,** de Lyne Vanier

108. **Sous le carillon,** de Michel Lavoie

109. **Nuits rouges,** de Daniel Mativat. Sélection Communication-Jeunesse

110. **Émile Nelligan ou l'abîme du rêve,** de Daniel Mativat. Sélection Communication-Jeunesse

111. **Quand vous lirez ce mot,** de Raymonde Painchaud. Sélection Communication-Jeunesse

112. **Un sirop au goût amer,** d'Annie Vintze

113. **Adeline, porteuse de l'améthyste,** d'Annie Perreault

114. **Péril à Dutch Harbor,** de Sylviane Thibault. Sélection Communication-Jeunesse

115. **Les anges cassés**, de Lyne Vanier. Prix littéraire Ville de Québec 2008 et sélection Communication-Jeunesse

116. **... et je jouerai de la guitare,** de Hélène de Blois

117. **Héronia,** de Yves Steinmetz

118. **Les oubliettes de *La villa des Brumes*,** de Lyne Vanier. Sélection Communication-Jeunesse

119. **Parole de Camille,** de Valérie Banville

120. **La première pierre,** de Don Aker, traduit de l'anglais par Marie-Andrée Clermont. Sélection Communication-Jeunesse

121. **Trois séjours en sombres territoires,** nouvelles de Louis Émond. Sélection Communication-Jeunesse

122. **Un si bel enfer,** de Louis Émond

123. **Le Cercle de Khaleb,** de Daniel Sernine. Prix 12/17 Brive-Montréal (1992) et Grand Prix de la science-fiction et du fantastique québécois (1992)

124. **L'Arc-en-Cercle,** de Daniel Sernine. Grand Prix de la science-fiction et du fantastique québécois (1996)

125. **La chamane de Bois-Rouge,** de Yves Steinmetz, finaliste au Prix du Gouverneur général 2010

126. **Le Pays des Dunes,** de Yves Steinmetz

127. **Liaisons dangereuses.com,** de Lyne Vanier. Finaliste au Prix littéraire Ville de Québec 2010.

128. **L'après Alma,** de Myra-Belle Béala De Guise

129. **La malédiction du Grand Carcajou,** de Yves Steinmetz

130. **24 heures d'angoisse,** de Johanne Dion

131. **Le bal de Béa gros bras,** de Marie-Josée L'Hérault

132. **L'Empire des sphères,** de Yves Steinmetz

Ce livre a été imprimé
sur du papier enviro 100 % recyclé.

Empreinte écologique réduite de :
Arbres : 7
Déchets solides : 396 kg
Eau : 26 150 L
Émissions atmosphériques : 1 030 kg

Ensemble, tournons la page sur le gaspillage.